Heinrich Heine

Der Rabbi von Bacherach

Ein Fragment

Herausgegeben
von Hartmut Kircher

Philipp Reclam jun. Stuttgart

Der Text folgt: Heinrich Heines Sämtliche Werke. Herausgegeben von Oskar Walzel. Fünfter Band. Herausgegeben von Paul Neuburger. Leipzig: Insel Verlag, 1914. – Die Orthographie wurde behutsam dem heutigen Gebrauch angeglichen.

RECLAMS UNIVERSAL-BIBLIOTHEK Nr. 2350
Bibliographisch ergänzte Ausgabe 1994
Gesamtherstellung: Reclam, Ditzingen. Printed in Germany 2004
RECLAM, UNIVERSAL-BIBLIOTHEK und
RECLAMS UNIVERSAL-BIBLIOTHEK sind eingetragene Marken
der Philipp Reclam jun. GmbH & Co., Stuttgart
ISBN 3-15-002350-5

www.reclam.de

Seinem geliebten Freunde, Heinrich Laube,
widmet die Legende des Rabbi von Bacherach, heiter grüßend, der Verfasser

Erstes Kapitel

Unterhalb des Rheingaus, wo die Ufer des Stromes ihre
lachende Miene verlieren, Berg und Felsen, mit ihren abenteuerlichen Burgruinen, sich trotziger gebärden, und eine
wildere, ernstere Herrlichkeit emporsteigt, dort liegt, wie
eine schaurige Sage der Vorzeit, die finstre, uralte Stadt
Bacherach. Nicht immer waren so morsch und verfallen
diese Mauern mit ihren zahlosen Zinnen und blinden Wart-
türmchen, in deren Luken der Wind pfeift und die Spatzen
nisten; in diesen armselig häßlichen Lehmgassen, die man
durch das zerrissene Tor erblickt, herrschte nicht immer
jene öde Stille, die nur dann und wann unterbrochen wird
von schreienden Kindern, keifenden Weibern und brüllen-
den Kühen. Diese Mauern waren einst stolz und stark, und
in diesen Gassen bewegte sich frisches, freies Leben, Macht
und Pracht, Lust und Leid, viel Liebe und viel Haß. Bacherach gehörte einst zu jenen Munizipien, welche von den
Römern während ihrer Herrschaft am Rhein gegründet worden, und die Einwohner, obgleich die folgenden Zeiten sehr
stürmisch und obgleich sie späterhin unter hohenstaufischer,
und zuletzt unter Wittelsbacher Oberherrschaft gerieten,
wußten dennoch, nach dem Beispiel andrer rheinischen
Städte, ein ziemlich freies Gemeinwesen zu erhalten. Dieses
bestand aus einer Verbindung einzelner Körperschaften,
wovon die der patrizischen Altbürger und die der Zünfte,
welche sich wieder nach ihren verschiedenen Gewerken
unterabteilten, beiderseitig nach der Alleinmacht rangen: so
daß sie sämtlich nach außen, zu Schutz und Trutz gegen den
nachbarlichen Raubadel, fest verbunden standen, nach innen
aber, wegen streitender Interessen, in beständiger Spaltung
verharrten; und daher unter ihnen wenig Zusammenleben,

viel Mißtrauen, oft sogar tätliche Ausbrüche der Leidenschaft. Der herrschaftliche Vogt saß auf der hohen Burg Sareck, und wie sein Falke schoß er herab wenn man ihn rief und auch manchmal ungerufen. Die Geistlichkeit herrschte im Dunkeln durch die Verdunkelung des Geistes. Eine am meisten vereinzelte, ohnmächtige und vom Bürgerrechte allmählich verdrängte Körperschaft war die kleine Judengemeinde, die schon zur Römerzeit in Bacherach sich niedergelassen und späterhin, während der großen Judenverfolgung, ganze Scharen flüchtiger Glaubensbrüder in sich aufgenommen hatte.

Die große Judenverfolgung begann mit den Kreuzzügen und wütete am grimmigsten um die Mitte des vierzehnten Jahrhunderts, am Ende der großen Pest, die, wie jedes andre öffentliche Unglück, durch die Juden entstanden sein sollte, indem man behauptete, sie hätten den Zorn Gottes herabgeflucht und mit Hülfe der Aussätzigen die Brunnen vergiftet. Der gereizte Pöbel, besonders die Horden der Flagellanten, halbnackte Männer und Weiber, die zur Buße sich selbst geißelnd und ein tolles Marienlied singend, die Rheingegend und das übrige Süddeutschland durchzogen, ermordeten damals viele tausend Juden, oder marterten sie, oder tauften sie gewaltsam. Eine andere Beschuldigung, die ihnen schon in früherer Zeit, das ganze Mittelalter hindurch bis Anfang des vorigen Jahrhunderts, viel Blut und Angst kostete, das war das läppische, in Chroniken und Legenden bis zum Ekel oft wiederholte Märchen: daß die Juden geweihte Hostien stählen, die sie mit Messern durchstächen bis das Blut herausfließe, und daß sie an ihrem Paschafeste Christenkinder schlachteten, um das Blut derselben bei ihrem nächtlichen Gottesdienste zu gebrauchen. Die Juden, hinlänglich verhaßt wegen ihres Glaubens, ihres Reichtums, und ihrer Schuldbücher, waren an jenem Festtage ganz in den Händen ihrer Feinde, die ihr Verderben nur gar zu leicht bewirken konnten, wenn sie das Gerücht eines solchen Kindermords verbreiteten, vielleicht gar einen blutigen Kinderleichnam in das verfemte Haus eines Juden heimlich hineinschwärzten, und dort nächtlich die betende Judenfamilie überfielen; wo alsdann gemordet, geplündert und getauft wurde, und große Wunder geschahen durch das vorgefundene tote Kind, welches die Kirche am Ende gar kanonisierte. Sankt Werner ist ein solcher Heiliger, und ihm zu Ehren ward zu Oberwesel jene prächtige Abtei gestiftet, die jetzt am Rhein eine der schönsten Ruinen bildet, und mit der gotischen Herrlichkeit ihrer langen, spitzbögigen Fenster, stolz emporschießender Pfeiler und Steinschnitzeleien uns so sehr entzückt, wenn wir an einem heitergrünen Sommertage vorbeifahren und ihren Ursprung nicht kennen. Zu Ehren dieses Heiligen wurden am Rhein noch drei andre große Kirchen errichtet, und unzählige Juden getötet oder mißhandelt. Dies geschah im Jahre 1287, und auch zu Bacherach, wo eine von diesen Sankt-Wernerskirchen gebaut wurde, erging damals über die Juden viel Drangsal und Elend. Doch zwei Jahrhunderte seitdem blieben sie verschont von solchen Anfällen der Volkswut, obgleich sie noch immer hinlänglich angefeindet und bedroht wurden.

Je mehr aber der Haß sie von außen bedrängte, desto inniger und traulicher wurde das häusliche Zusammenleben, desto tiefer wurzelte die Frömmigkeit und Gottesfurcht der Juden von Bacherach. Ein Muster gottgefälligen Wandels war der dortige Rabbiner, genannt Rabbi Abraham, ein noch jugendlicher Mann, der aber weit und breit wegen seiner Gelahrtheit berühmt war. Er war geboren in dieser Stadt, und sein Vater, der dort ebenfalls Rabbiner gewesen, hatte ihm in seinem letzten Willen befohlen, sich demselben Amt zu widmen und Bacherach nie zu verlassen, es seie denn wegen Lebensgefahr. Dieser Befehl und ein Schrank mit seltenen Büchern war alles was sein Vater, der bloß in Armut und Schriftgelahrtheit lebte, ihm hinterließ. Dennoch war Rabbi Abraham ein sehr reicher Mann; verheuratet mit der einzigen Tochter seines verstorbenen Vaterbruders, welcher den Juwelenhandel getrieben, erbte er dessen große Reichtümer. Einige Fuchsbärte in der Gemeinde deuteten darauf hin, als wenn der Rabbi eben des Geldes wegen seine Frau geheuratet habe. Aber sämtliche Weiber widersprachen und wußten alte Geschichten zu erzählen: wie der Rabbi, schon vor seiner Reise nach Spanien, verliebt gewesen in Sara – man hieß sie eigentlich die schöne Sara – und wie Sara sieben Jahre warten mußte, bis der Rabbi aus Spanien zurückkehrte, indem er sie gegen den Willen ihres Vaters und selbst gegen ihre eigne Zustimmung durch den Trauring geheuratet hatte. Jedweder Jude nämlich kann ein jüdisches Mädchen zu seinem rechtmäßigen Eheweibe machen, wenn es ihm gelang ihr einen Ring an den Finger zu stecken und dabei die Worte zu sprechen: »Ich nehme dich zu meinem Weibe nach den Sitten von Moses und Israel!« Bei der Erwähnung Spaniens pflegten die Fuchsbärte auf eine ganz eigne Weise zu lächeln; und das geschah wohl wegen eines dunkeln Gerüchts, daß Rabbi Abraham auf der hohen Schule zu Toledo zwar emsig genug das Studium des göttlichen Gesetzes getrieben, aber auch christliche Gebräuche nachgeahmt und freigeistige Denkungsart eingesogen habe, gleich jenen spanischen Juden, die damals auf einer außerordentlichen Höhe der Bildung standen. Im Innern ihrer Seele aber glaubten jene Fuchsbärte sehr wenig an die Wahrheit des angedeuteten Gerüchts. Denn überaus rein, fromm und ernst war seit seiner Rückkehr aus Spanien die Lebensweise des Rabbi, die kleinlichsten Glaubensgebräuche übte er mit ängstlicher Gewissenhaftigkeit, alle Montag und Donnerstag pflegte er zu fasten, nur am Sabbat und anderen Feiertagen genoß er Fleisch und Wein, sein Tag verfloß in Gebet und Studium, des Tages erklärte er das göttliche Gesetz im Kreise der Schüler, die der Ruhm seines Namens nach Bacherach gezogen, und des Nachts betrachtete er die Sterne des Himmels oder die Augen der schönen Sara. Kinderlos war die Ehe des Rabbi; dennoch fehlte es nicht um ihn her an Leben und Bewegung. Der große Saal seines Hauses, welches neben der Synagoge lag, stand offen zum Gebrauche der ganzen Gemeinde: hier ging man aus und ein ohne Umstände, verrichtete schleunige Gebete, oder holte Neuigkeiten, oder hielt Beratung in allgemeiner Not;

hier spielten die Kinder am Sabbatmorgen während in der Synagoge der wöchentliche Abschnitt verlesen wurde; hier versammelte man sich bei Hochzeit- und Leichenzügen, und zankte sich und versöhnte sich; hier fand der Frierende einen warmen Ofen und der Hungrige einen gedeckten Tisch. Außerdem bewegten sich um den Rabbi noch eine Menge Verwandte, Brüder und Schwestern, mit ihren Weibern und Kindern, so wie auch seine und seiner Frau gemeinschaftliche Öhme und Muhmen, eine weitläuftige Sippschaft, die alle den Rabbi als Familienhaupt betrachteten, im Hause desselben früh und spät verkehrten, und an hohen Festtagen sämtlich dort zu speisen pflegten. Solche gemeinschaftliche Familienmahle im Rabbinerhause fanden ganz besonders statt bei der jährlichen Feier des Pascha, eines uralten, wunderbaren Festes, das noch jetzt die Juden in der ganzen Welt, am Vorabend des vierzehnten Tages im Monat Nissen, zum ewigen Gedächtnisse ihrer Befreiung aus egyptischer Knechtschaft, folgendermaßen begehen:
Sobald es Nacht ist, zündet die Hausfrau die Lichter an, spreitet das Tafeltuch über den Tisch, legt in die Mitte desselben drei von den platten ungesäuerten Bröten, verdeckt sie mit einer Serviette und stellt auf diesen erhöhten Platz sechs kleine Schüsseln, worin symbolische Speisen enthalten, nämlich ein Ei, Lattich, Mairettichwurzel, ein Lammknochen, und eine braune Mischung von Rosinen, Zimmet und Nüssen. An diesen Tisch setzt sich der Hausvater mit allen Verwandten und Genossen und liest ihnen vor aus einem abenteuerlichen Buche, das die Agade heißt, und dessen Inhalt eine seltsame Mischung ist von Sagen der Vorfahren, Wundergeschichten aus Egypten, kuriosen Erzählungen, Streitfragen, Gebeten und Festliedern. Eine große Abendmahlzeit wird in die Mitte dieser Feier eingeschoben, und sogar während des Vorlesens wird zu bestimmten Zeiten etwas von den symbolischen Gerichten gekostet, so wie alsdann auch Stückchen von dem ungesäuerten Brote gegessen und vier Becher roten Weines getrunken werden. Wehmütig heiter, ernsthaft spielend und mär-

chenhaft geheimnisvoll ist der Charakter dieser Abendfeier, und der herkömmlich singende Ton, womit die Agade von dem Hausvater vorgelesen und zuweilen chorartig von den Zuhörern nachgesprochen wird, klingt so schauervoll innig, so mütterlich einlullend, und zugleich so hastig aufweckend, daß selbst diejenigen Juden, die längst von dem Glauben ihrer Väter abgefallen und fremden Freuden und Ehren nachgejagt sind, im tiefsten Herzen erschüttert werden, wenn ihnen die alten, wohlbekannten Paschaklänge zufällig ins Ohr dringen.

Im großen Saale seines Hauses saß einst Rabbi Abraham, und mit seinen Anverwandten, Schülern und übrigen Gästen beging er die Abendfeier des Paschafestes. Im Saale war alles mehr als gewöhnlich blank; über den Tisch zog sich die buntgestickte Seidendecke, deren Goldfranzen bis auf die Erde hingen; traulich schimmerten die Tellerchen mit den symbolischen Speisen, so wie auch die hohen weingefüllten Becher, so wie als Zierat lauter heilige Geschichten von getriebener Arbeit; die Männer saßen in ihren Schwarzmänteln und schwarzen Platthüten und weißen Halsbergen; die Frauen, in ihren wunderlich glitzernden Kleidern von lombardischen Stoffen, trugen um Haupt und Hals ihr Gold- und Perlengeschmeide; und die silberne Sabbatlampe goß ihr festlichstes Licht über die andächtig vergnügten Gesichter der Alten und Jungen. Auf den purpurnen Sammetkissen eines mehr als die übrigen erhabenen Sessels und angelehnt, wie es der Gebrauch heischt, saß Rabbi Abraham und las und sang die Agade, und der bunte Chor stimmte ein oder antwortete bei den vorgeschriebenen Stellen. Der Rabbi trug ebenfalls sein schwarzes Festkleid, seine edelgeformten, etwas strengen Züge waren milder denn gewöhnlich, die Lippen lächelten hervor aus dem braunen Barte, als wenn sie viel Holdes erzählen wollten, und in seinen Augen schwamm es wie selige Erinnerung und Ahnung. Die schöne Sara, die auf einem ebenfalls erhabenen Sammetsessel an seiner Seite saß, trug als Wirtin nichts von ihrem Geschmeide, nur weißes Linnen umschloß ihren schlanken

Leib und ihr frommes Antlitz. Dieses Antlitz war rührend schön, wie denn überhaupt die Schönheit der Jüdinnen von eigentümlich rührender Art ist; das Bewußtsein des tiefen Elends, der bittern Schmach und der schlimmen Fahrnisse, worinnen ihre Verwandte und Freunde leben, verbreitet über ihre holden Gesichtszüge eine gewisse leidende Innigkeit und beobachtende Liebesangst, die unsere Herzen sonderbar bezaubern. So saß heute die schöne Sara und sah beständig nach den Augen ihres Mannes; dann und wann schaute sie auch nach der vor ihr liegenden Agade, dem hübschen, in Gold und Samt gebundenen Pergamentbuche, einem alten Erbstück mit verjährten Weinflecken aus den Zeiten ihres Großvaters, und worin so viele keck und bunt gemalten Bilder, die sie schon als kleines Mädchen, am Pascha-Abend, so gerne betrachtete, und die allerlei biblische Geschichten darstellten, als da sind: wie Abraham die steinernen Götzen seines Vaters mit dem Hammer entzweiklopft, wie die Engel zu ihm kommen, wie Moses den Mizri totschlägt, wie Pharao prächtig auf dem Throne sitzt, wie ihm die Frösche sogar bei Tische keine Ruhe lassen, wie er Gott sei Dank versäuft, wie die Kinder Israel vorsichtig durch das Rote Meer gehen, wie sie offnen Maules, mit ihren Schafen, Kühen und Ochsen vor dem Berge Sinai stehen, dann auch wie der fromme König David die Harfe spielt, und endlich wie Jerusalem mit den Türmen und Zinnen seines Tempels bestrahlt wird vom Glanze der Sonne!

Der zweite Becher war schon eingeschenkt, die Gesichter und Stimmen wurden immer heller, und der Rabbi, indem er eins der ungesäuerten Osterbröte ergriff und heiter grüßend emporhielt, las er folgende Worte aus der Agade: »Siehe! das ist die Kost, die unsere Väter in Egypten genossen! Jeglicher, den es hungert, er komme und genieße! Jeglicher, der da traurig, er komme und teile unsere Paschafreude! Gegenwärtigen Jahres feiern wir hier das Fest, aber zum kommenden Jahre im Lande Israels! Gegenwärtigen Jahres feiern wir es noch als Knechte, aber zum kommenden Jahre als Söhne der Freiheit!«

Da öffnete sich die Saaltüre, und hereintraten zwei große blasse Männer, in sehr weite Mäntel gehüllt, und der eine sprach: »Friede sei mit Euch, wir sind reisende Glaubensgenossen und wünschen das Paschafest mit Euch zu feiern.« Und der Rabbi antwortete rasch und freundlich: »Mit Euch sei Frieden, setzt Euch nieder in meiner Nähe.« Die beiden Fremdlinge setzten sich alsbald zu Tische und der Rabbi fuhr fort im Vorlesen. Manchmal, während die übrigen noch im Zuge des Nachsprechens waren, warf er kosende Worte nach seinem Weibe, und anspielend auf den alten Scherz, daß ein jüdischer Hausvater sich an diesem Abend für einen König hält, sagte er zu ihr: »Freue dich, meine Königin!« Sie aber antwortete, wehmütig lächelnd »es fehlt uns ja der Prinz!« und damit meinte sie den Sohn des Hauses, der, wie eine Stelle in der Agade es verlangt, mit vorgeschriebenen Worten seinen Vater um die Bedeutung des Festes befragen soll. Der Rabbi erwiderte nichts und zeigte bloß mit dem Finger nach einem eben aufgeschlagenen Bilde in der Agade, wo überaus anmutig zu schauen war: wie die drei Engel zu Abraham kommen, um ihm zu verkünden, daß ihm ein Sohn geboren werde von seiner Gattin Sara, welche unterdessen, weiblich pfiffig hinter der Zelttüre steht um die Unterredung zu belauschen. Dieser leise Wink goß dreifaches Rot über die Wangen der schönen Frau, sie schlug die Augen nieder, und sah dann wieder freundlich empor nach ihrem Manne, der singend fortfuhr im Vorlesen der wunderbaren Geschichte: wie Rabbi Jesua, Rabbi Elieser, Rabbi Asaria, Rabbi Akiba, und Rabbi Tarphen in Bona-Brak angelehnt saßen und sich die ganze Nacht vom Auszuge der Kinder Israel aus Egypten unterhielten, bis ihre Schüler kamen und ihnen zuriefen, es sei Tag und in der Synagoge verlese man schon das große Morgengebet.

Derweilen nun die schöne Sara andächtig zuhörte, und ihren Mann beständig ansah, bemerkte sie, wie plötzlich sein Antlitz in grausiger Verzerrung erstarrte, das Blut aus seinen Wangen und Lippen verschwand, und seine Augen wie Eiszapfen hervorglotzten; – aber fast im selben Augenblicke sah sie, wie seine Züge wieder die vorige Ruhe und Heiterkeit annahmen, wie seine Lippen und Wangen sich wieder röteten, seine Augen munter umherkreisten, ja, wie sogar eine ihm sonst ganz fremde tolle Laune sein ganzes Wesen ergriff. Die schöne Sara erschrak wie sie noch nie in ihrem Leben erschrocken war, und ein inneres Grauen stieg kältend in ihr auf, weniger wegen der Zeichen von starrem Entsetzen, die sie einen Moment lang im Gesichte ihres Mannes erblickt hatte, als wegen seiner jetzigen Fröhlichkeit, die allmählich in jauchzende Ausgelassenheit überging. Der Rabbi schob sein Barett spielend von einem Ohre nach dem andern, zupfte und kräuselte possierlich seine Bartlokken, sang den Agadetext nach der Weise eines Gassenhauers, und bei der Aufzählung der egyptischen Plagen, wo man mehrmals den Zeigefinger in den vollen Becher eintunkt und den anhängenden Weintropfen zur Erde wirft, besprützte der Rabbi die jüngeren Mädchen mit Rotwein, und es gab großes Klagen über verdorbene Halskrausen, und schallendes Gelächter. Immer unheimlicher ward es der schönen Sara bei dieser krampfhaft sprudelnden Lustigkeit ihres Mannes, und beklommen von namenloser Bangigkeit, schaute sie in das summende Gewimmel der buntbeleuchteten Menschen, die sich behaglich breit hin und her schaukelten, an den dünnen Paschabröten knoperten, oder Wein schlürften, oder miteinander schwatzten, oder laut sangen, überaus vergnügt.

Da kam die Zeit wo die Abendmahlzeit gehalten wird, alle standen auf um sich zu waschen, und die schöne Sara holte das große, silberne, mit getriebenen Goldfiguren reichverzierte Waschbecken, das sie jedem der Gäste vorhielt, während ihm Wasser über die Hände gegossen wurde. Als sie auch dem Rabbi diesen Dienst erwies, blinzelte ihr dieser bedeutsam mit den Augen, und schlich sich zur Türe hinaus. Die schöne Sara folgte ihm auf dem Fuße; hastig ergriff der Rabbi die Hand seines Weibes, eilig zog er sie fort, durch die dunkelen Gassen Bacherachs, eilig zum Tor hinaus, auf die Landstraße, die den Rhein entlang, nach Bingen führt.

Es war eine jener Frühlingsnächte, die zwar lau genug und hellgestirnt sind, aber doch die Seele mit seltsamen Schauern erfüllen. Leichenhaft dufteten die Blumen; schadenfroh und zugleich selbstbeängstigt zwitscherten die Vögel; der Mond warf heimtückisch gelbe Streiflichter über den dunkel hinmurmelnden Strom, die hohen Felsenmassen des Ufers schienen bedrohlich wackelnde Riesenhäupter; der Turmwächter auf Burg-Strahleck blies eine melancholische Weise; und dazwischen läutete, eifrig gellend, das Sterbeglöckchen der Sankt-Wernerskirche. Die schöne Sara trug in der rechten Hand das silberne Waschbecken, ihre linke hielt der Rabbi noch immer gefaßt, und sie fühlte wie seine Finger eiskalt waren und wie sein Arm zitterte; aber sie folgte schweigend, vielleicht weil sie von jeher gewohnt, ihrem Manne blindlings und fragenlos zu gehorchen, vielleicht auch weil ihre Lippen vor innerer Angst verschlossen waren.

Unterhalb der Burg Sonneck, Lorch gegenüber, ungefähr wo jetzt das Dörfchen Niederrheinbach liegt, erhebt sich eine Felsenplatte, die bogenartig über das Rheinufer hinaushängt. Diese erstieg Rabbi Abraham mit seinem Weibe, schaute sich um nach allen Seiten, und starrte hinauf nach den Sternen. Zitternd, und von Todesängsten durchfröstelt stand neben ihm die schöne Sara, und betrachtete sein blasses Gesicht, das der Mond gespenstisch beleuchtete, und worauf es hin und her zuckte, wie Schmerz, Furcht, Andacht und Wut. Als aber der Rabbi plötzlich das silberne Waschbecken ihr aus der Hand riß und es schollernd hinabwarf in den Rhein: da konnte sie das grausenhafte Angstgefühl nicht länger ertragen, und mit dem Ausrufe: »Schadai voller Genade!« stürzte sie zu den Füßen des Mannes und beschwor ihn das dunkle Rätsel endlich zu enthüllen.

Der Rabbi, des Sprechens ohnmächtig, bewegte mehrmals lautlos die Lippen, und endlich rief er: »Siehst du den Engel des Todes? Dort unten schwebt er über Bacherach! Wir aber sind seinem Schwerte entronnen. Gelobt sei der Herr!« Und mit einer Stimme, die noch vor innerem Entsetzen bebte,

erzählte er: wie er wohlgemut die Agade hinsingend und
angelehnt saß, und zufällig unter den Tisch schaute, habe er
dort, zu seinen Füßen, den blutigen Leichnam eines Kindes
erblickt. »Da merkte ich« – setzte der Rabbi hinzu – »daß
unsre zwei späte Gäste nicht von der Gemeinde Israels
waren, sondern von der Versammlung der Gottlosen, die
sich beraten hatten jenen Leichnam heimlich in unser Haus
zu schaffen, um uns des Kindermordes zu beschuldigen und
das Volk aufzureizen uns zu plündern und zu ermorden. Ich
durfte nicht merken lassen, daß ich das Werk der Finsternis
durchschaut; ich hätte dadurch nur mein Verderben
beschleunigt, und nur die List hat uns beide gerettet. Gelobt
sei der Herr! Ängstige dich nicht, schöne Sara; auch unsre
Freunde und Verwandte werden gerettet sein. Nur nach
meinem Blute lechzten die Ruchlosen; ich bin ihnen entronnen und sie begnügen sich mit meinem Silber und Golde.
Komm mit mir, schöne Sara, nach einem anderen Lande,
wir wollen das Unglück hinter uns lassen, und damit uns das
Unglück nicht verfolge, habe ich ihm das Letzte meiner
Habe, das silberne Becken, zur Versöhnung hingeworfen.
Der Gott unserer Väter wird uns nicht verlassen. – Komm
herab, du bist müde; dort unten steht bei seinem Kahne der
stille Wilhelm; er fährt uns den Rhein hinauf.«
Lautlos und wie mit gebrochenen Gliedern war die schöne
Sara in die Arme des Rabbi hingesunken, und langsam trug
er sie hinab nach dem Ufer. Hier stand der stille Wilhelm,
ein taubstummer aber bildschöner Knabe, der zum Unter-
halt seiner alten Pflegemutter, einer Nachbarin des Rabbi,
den Fischfang trieb und hier seinen Kahn angelegt hatte. Es
war aber als erriete er schon gleich die Absicht des Rabbi, ja
es schien als habe er eben auf ihn gewartet, um seine
geschlossenen Lippen zog sich das lieblichste Mitleid,
bedeutungstief ruhten seine großen blauen Augen auf der
schönen Sara, und sorgsam trug er sie in den Kahn.
Der Blick des stummen Knaben weckte die schöne Sara aus
ihrer Betäubung, sie fühlte auf einmal, daß alles was ihr
Mann ihr erzählt, kein bloßer Traum sei, und Ströme bitte-

rer Tränen ergossen sich über ihre Wangen, die jetzt so weiß wie ihr Gewand. Da saß sie nun in der Mitte des Kahns, ein weinendes Marmorbild; neben ihr saßen ihr Mann und der stille Wilhelm, welche emsig ruderten.

Sei es nun durch den einförmigen Ruderschlag, oder durch das Schaukeln des Fahrzeugs, oder durch den Duft jener Bergesufer, worauf die Freude wächst, immer geschieht es, daß auch der Betrübteste seltsam beruhigt wird, wenn er in der Frühlingsnacht, in einem leichten Kahne, leicht dahinfährt auf dem lieben, klaren Rheinstrom. Wahrlich, der alte gutherzige Vater Rhein kanns nicht leiden, wenn seine Kinder weinen; tränenstillend wiegt er sie auf seinen treuen Armen, und erzählt ihnen seine schönsten Märchen und verspricht ihnen seine goldigsten Schätze, vielleicht gar den uralt versunkenen Niblungshort. Auch die Tränen der schönen Sara flossen immer milder und milder, ihre gewaltigsten Schmerzen wurden fortgespielt von den flüsternden Wellen, die Nacht verlor ihr finstres Grauen, und die heimatlichen Berge grüßten wie zum zärtlichsten Lebewohl. Vor allen aber grüßte traulich ihr Lieblingsberg, der Kädrich, und in seiner seltsamen Mondbeleuchtung schien es, als stände wieder oben ein Fräulein mit ängstlich ausgestreckten Armen, als kröchen die flinken Zwerglein wimmelnd aus ihren Felsenspalten, und als käme ein Reuter den Berg hinaufgesprengt in vollem Galopp; und der schönen Sara war zu Mute, als sei sie wieder ein kleines Mädchen und säße wieder auf dem Schoße ihrer Muhme aus Lorch, und diese erzähle ihr die hübsche Geschichte von dem kecken Reuter, der das arme, von den Zwergen geraubte Fräulein befreite, und noch andre wahre Geschichten, vom wunderlichen Wispertale drüben, wo die Vögel ganz vernünftig sprechen, und vom Pfefferkuchenland, wohin die folgsamen Kinder kommen, und von verwünschten Prinzessinnen, singenden Bäumen, gläsernen Schlössern, goldenen Brücken, lachenden Nixen ... Aber zwischen all diesen hübschen Märchen, die klingend und leuchtend zu leben begannen, hörte die schöne Sara die Stimme ihres Vaters, der ärgerlich die arme

Muhme ausschalt, daß sie dem Kinde so viel Torheiten in
den Kopf schwatze! Alsbald kams ihr vor, als setzte man sie
auf das kleine Bänkchen, vor dem Sammetsessel ihres
Vaters, der mit weicher Hand ihr langes Haar streichelte, gar
vergnügt mit den Augen lachte, und sich behaglich hin und
her wiegte in seinem weiten, blauseidenen Sabbatschlafrock
... Es mußte wohl Sabbat sein, denn die geblümte Decke
war über den Tisch gespreitet, alle Geräte im Zimmer leuch-
teten, spiegelblank gescheuert, der weißbärtige Gemeinde-
diener saß an der Seite des Vaters und kaute Rosinen und
sprach Hebräisch, auch der kleine Abraham kam herein mit
einem allmächtig großen Buche, und bat bescheidentlich
seinen Oheim um die Erlaubnis einen Abschnitt der Heiligen Schrift erklären zu dürfen, damit der Oheim sich selber
überzeuge, daß er in der verflossenen Woche viel gelernt
habe und viel Lob und Kuchen verdiene ... Nun legte der
kleine Bursche das Buch auf die breite Armlehne des Sessels,
und erklärte die Geschichte von Jakob und Rahel, wie Jakob
seine Stimme erhoben und laut geweint, als er sein Mühmchen Rahel zuerst erblickte, wie er so traulich am Brunnen
mit ihr gesprochen, wie er sieben Jahr um Rahel dienen
mußte, und wie sie ihm so schnell verflossen, und wie er die
Rahel geheuratet und immer und immer geliebt hat ... Auf
einmal erinnerte sich auch die schöne Sara, daß ihr Vater
damals mit lustigem Tone ausrief: »willst du nicht eben so
dein Mühmchen Sara heuraten?« worauf der kleine Abraham ernsthaft antwortete: »das will ich, und sie soll sieben
Jahr warten«. Dämmernd zogen diese Bilder durch die Seele
der schönen Frau, sie sah, wie sie und ihr kleiner Vetter, der
jetzt so groß und ihr Mann geworden, kindisch miteinander
in der Lauberhütte spielten, wie sie sich dort ergötzten an
den bunten Tapeten, Blumen, Spiegeln und vergoldeten
Äpfeln, wie der kleine Abraham immer zärtlicher mit ihr
koste, bis er allmählich größer und mürrisch wurde, und
endlich ganz groß und ganz mürrisch ... Und endlich sitzt
sie zu Hause allein in ihrer Kammer eines Samstags Abend,
der Mond scheint hell durchs Fenster, und die Tür fliegt auf,

und hastig stürmt herein ihr Vetter Abraham, in Reisekleidern und blaß wie der Tod, und er greift ihre Hand, steckt einen goldnen Ring an ihren Finger und spricht feierlich: »ich nehme dich hiermit zu meinem Weibe, nach den Gesetzen von Moses und Israel!« »Jetzt aber« – setzt er bebend hinzu – »jetzt muß ich fort nach Spanien. Lebewohl, sieben Jahre sollst du auf mich warten!« Und er stürzt fort, und weinend erzählt die schöne Sara das alles ihrem Vater … Der tobt und wütet »schneid ab dein Haar, denn du bist ein verheuratetes Weib!« – und er will dem Abraham nachreuten um einen Scheidebrief von ihm zu erzwingen; – aber der ist schon über alle Berge, der Vater kehrt schweigend nach Haus zurück, und wie die schöne Sara ihm die Reitstiefel ausziehen hilft und besänftigend äußert, daß der Abraham nach sieben Jahren zurückkehre, da flucht der Vater: »sieben Jahr sollt ihr betteln gehn!« und bald stirbt er.

So zogen der schönen Sara die alten Geschichten durch den Sinn, wie ein hastiges Schattenspiel; die Bilder vermischten sich auch wunderlich, und zwischendurch schauten halb bekannte, halb fremde bärtige Gesichter und große Blumen mit fabelhaft breitem Blattwerk. Es war auch als murmelte der Rhein die Melodien der Agade, und die Bilder derselben stiegen daraus hervor, lebensgroß und verzerrt, tolle Bilder: der Erzvater Abraham zerschlägt ängstlich die Götzengestalten, die sich immer hastig wieder von selbst zusammensetzen; der Mizri wehrt sich furchtbar gegen den ergrimmten Moses; der Berg Sinai blitzt und flammt; der König Pharao schwimmt im Roten Meere, mit den Zähnen im Maule die zackige Goldkrone festhaltend; Frösche mit Menschenantlitz schwimmen hintendrein, und die Wellen schäumen und brausen, und eine dunkle Riesenhand taucht drohend daraus hervor.

Das war Hattos Mäuseturm und der Kahn schoß eben durch den Binger Strudel. Die schöne Sara ward dadurch etwas aus ihren Träumereien gerüttelt, und schaute nach den Bergen des Ufers, auf deren Spitzen die Schloßlichter flimmerten, und an deren Fuß die mondbeleuchteten Nachtnebel sich

16

hinzogen. Plötzlich aber glaubte sie dort ihre Freunde und
Verwandte zu sehen, wie sie mit Leichengesichtern und in
weißwallenden Totenhemden schreckenhastig vorüberlie-
fen, den Rhein entlang ... es ward ihr schwarz vor den
Augen, ein Eisstrom ergoß sich in ihre Seele, und wie im
Schlafe hörte sie nur noch, daß ihr der Rabbi das Nachtgebet
vorbetete, langsam ängstlich, wie es bei totkranken Leuten
geschieht, und träumerisch stammelte sie noch die Worte:
»Zehntausend zur Rechten, zehntausend zur Linken; den
König zu schützen vor nächtlichem Grauen ...«
Da verzog sich plötzlich all das eindringende Dunkel und
Grausen, der düstre Vorhang ward vom Himmel fortgeris-
sen, es zeigte sich oben die heilige Stadt Jerusalem, mit ihren
Türmen und Toren; in goldner Pracht leuchtete der Tempel;
auf dem Vorhofe desselben erblickte die schöne Sara ihren
Vater, in seinem gelben Sabbatschlafrock und vergnügt mit
den Augen lachend; aus den runden Tempelfenstern grüßten
fröhlich alle ihre Freunde und Verwandte; im Allerheiligsten
kniete der fromme König David, mit Purpurmantel und
funkelnder Krone, und lieblich ertönte sein Gesang und
Saitenspiel, – und selig lächelnd entschlief die schöne Sara.

Zweites Kapitel

Als die schöne Sara die Augen aufschlug, ward sie fast
geblendet von den Strahlen der Sonne. Die hohen Türme
einer großen Stadt erhoben sich, und der stumme Wilhelm
stand mit der Hakenstange aufrecht im Kahne und leitete
denselben durch das lustige Gewühl vieler buntbewimpelten
Schiffe, deren Mannschaft entweder müßig hinabschaute auf
die Vorbeifahrenden, oder vielhändig beschäftigt war mit
dem Ausladen von Kisten, Ballen und Fässern, die auf
kleineren Fahrzeugen ans Land gebracht wurden; wobei ein
betäubender Lärm, das beständige Hallorufen der Barken-
führer, das Geschrei der Kaufleute vom Ufer her, und das

Keifen der Zöllner, die, in ihren roten Röcken, mit weißen Stäbchen und weißen Gesichtern, von Schiff zu Schiff hüpften.

»Ja, schöne Sara« – sagte der Rabbi zu seiner Frau, heiter lächelnd – »das ist hier die weltberühmte freie Reichs- und Handelsstadt Frankfurt am Main, und das ist eben der Mainfluß worauf wir jetzt fahren. Da drüben die lachenden Häuser, umgeben von grünen Hügeln, das ist das Sachsenhausen, woher uns der lahme Gumpertz, zur Zeit des Lauberhüttenfestes, die schönen Myrrhen holt. Hier siehst du auch die starke Mainbrücke mit ihren dreizehn Bögen, und gar viel Volk, Wagen und Pferde, geht sicher darüberhin, und in der Mitte steht das Häuschen, wovon die Mühmele Täubchen erzählt hat, daß ein getaufter Jude darin wohnt, der jedem, der ihm eine tote Ratte bringt, sechs Heller auszahlt für Rechnung der jüdischen Gemeinde, die dem Stadtrate jährlich fünftausend Rattenschwänze abliefern soll!«

Über diesen Krieg, den die Frankfurter Juden mit den Ratten zu führen haben, mußte die schöne Sara laut lachen; das klare Sonnenlicht und die neue bunte Welt, die vor ihr auftauchte, hatte alles Grauen und Entsetzen der vorigen Nacht aus ihrer Seele verscheucht, und als sie, aus dem landenden Kahne, von ihrem Manne und dem stummen Wilhelm aufs Ufer gehoben worden, fühlte sie sich wie durchdrungen von freudiger Sicherheit. Der stumme Wilhelm aber, mit seinen schönen, tiefblauen Augen, sah ihr lange ins Gesicht, halb schmerzlich, halb heiter, dann warf er noch einen bedeutenden Blick nach dem Rabbi, sprang zurück in seinen Kahn, und bald war er damit verschwunden.

»Der stumme Wilhelm hat doch viele Ähnlichkeit mit meinem verstorbenen Bruder« – bemerkte die schöne Sara. »Die Engel sehen sich alle ähnlich« – erwiderte leichthin der Rabbi, und sein Weib bei der Hand ergreifend, führte er sie durch das Menschengewimmel des Ufers, wo jetzt, weil es die Zeit der Ostermesse, eine Menge hölzerner Krambuden aufgebaut standen. Als sie, durch das dunkle Maintor, in die Stadt gelangten, fanden sie nicht minder lärmigen Verkehr. Hier, in einer engen Straße, erhob sich ein Kaufmannsladen neben dem andern, und die Häuser, wie überall in Frankfurt waren ganz besonders zum Handel eingerichtet: im Erdgeschosse keine Fenster, sondern lauter offne Bogentüren, so daß man tief hineinschauen und jeder Vorübergehende die ausgestellten Waren deutlich betrachten konnte. Wie staunte die schöne Sara ob der Masse kostbarer Sachen und ihrer niegesehenen Pracht! Da standen Venezianer, die allen Luxus des Morgenlands und Italiens feilboten, und die schöne Sara war wie festgebannt beim Anblick der aufgeschichteten Putzsachen und Kleinodien, der bunten Mützen und Mieder, der güldnen Armspangen und Halsbänder, des ganzen Flitterkrams, das die Frauen sehr gern bewundern und womit sie sich noch lieber schmücken. Die reichgestickten Samt- und Seidenstoffe schienen mit der schönen Sara sprechen und ihr allerlei Wunderliches ins Gedächtnis zurückfunkeln zu wollen, und es war ihr wirklich zu Mute, als wäre sie wieder ein kleines Mädchen und Mühmele Täubchen habe ihr Versprechen erfüllt, und sie nach der Frankfurter Messe geführt, und jetzt eben stehe sie vor den hübschen Kleidern, wovon ihr so viel erzählt worden. Mit heimlicher Freude überlegte sie schon was sie nach Bacherach mitbringen wolle, welchem von ihren beiden Bäschen, dem kleinen Blümchen oder dem kleinen Vögelchen, der blauseidne Gürtel am besten gefallen würde, ob auch die grünen Höschen dem kleinen Gottschalk passen mögen, – doch plötzlich sagte sie zu sich selber: »ach Gott! die sind ja unterdessen großgewachsen und gestern umgebracht worden!« Sie schrak heftig zusammen und die Bilder der Nacht wollten schon mit all ihrem Entsetzen wieder in ihr aufsteigen; doch die goldgestickten Kleider blinzelten nach ihr wie mit tausend Schelmenaugen, und redeten ihr alles Dunkle aus dem Sinn, und wie sie hinaufsah nach dem Antlitz ihres Mannes, so war dieses unumwölkt, und trug seine gewöhnliche ernste Milde. »Mach die Augen zu, schöne Sara« –

sagte der Rabbi, und führte seine Frau weiter durch das Menschengedränge.

Welch ein buntes Treiben! Zumeist waren es Handelsleute, die laut miteinander feilschten, oder auch mit sich selber sprechend an den Fingern rechneten, oder auch von einigen hochbepackten Markthelfern, die im kurzen Hundetrab hinter ihnen herliefen, ihre Einkäufe nach der Herberge schleppen ließen. Andere Gesichter ließen merken, daß bloß die Neugier sie herbeigezogen. Am roten Mantel und der goldenen Halskette erkannte man den breiten Ratsherrn. Das schwarze, wohlhabend bauschichte Wams verriet den ehrsamen stolzen Altbürger. Die eiserne Pickelhaube, das gelbelederne Wams und die klirrenden Pfundsporen verkündigten den schweren Reuterskneckt. Unterm schwarzen Sammethäubchen, das in einer Spitze auf der Stirne zusammenlief, barg sich ein rosiges Mädchengesicht, und die jungen Gesellen, die gleich witternden Jagdhunden hinterdrein sprangen, zeigten sich als vollkommene Stutzer durch ihre keckbefiederten Barette, ihre klingelnden Schnabelschuhe und ihre seidnen Kleider von geteilter Farbe, wo die rechte Seite grün, die linke Seite rot, oder die eine regenbogenartig gestreift, die andre buntscheckig gewürfelt war, so daß die närrischen Burschen aussahen, als wären sie in der Mitte gespalten. Von der Menschenströmung fortgezogen, gelangte der Rabbi mit seinem Weibe nach dem Römer. Dieses ist der große mit hohen Giebelhäusern umgebene Marktplatz der Stadt, seinen Namen führend von einem ungeheuren Hause, das Zum Römer hieß und vom Magistrate angekauft und zu einem Rathause geweiht wurde. In diesem Gebäude wählte man Deutschlands Kaiser und vor demselben wurden oft edle Ritterspiele gehalten. Der König Maximilian, der dergleichen leidenschaftlich liebte, war damals in Frankfurt anwesend, und tags zuvor hatte man ihm zu Ehren, vor dem Römer, ein großes Stechen veranstaltet. An den hölzernen Schranken, die jetzt von den Zimmerleuten abgebrochen wurden, standen noch viele Müßiggänger und erzählten sich, wie gestern der Herzog von Braunschweig und der Markgraf von Brandenburg unter Pauken- und Trompetenschall gegeneinander gerannt, wie Herr Walter der Lump den Bärenritter so gewaltig aus dem Sattel gestoßen, daß die Lanzensplitter in die Luft flogen, und wie der lange blonde König Max, im Kreise seines Hofgesindes, auf dem Balkone stand und sich vor Freude die Hände rieb. Die Decken von goldnen Stoffen lagen noch auf der Lehne des Balkons und der spitzbögigen Rathausfenster. Auch die übrigen Häuser des Marktplatzes waren noch festlich geschmückt und mit Wappenschilden verziert, besonders das Haus Limburg, auf dessen Banner eine Jungfrau gemalt war, die einen Sperber auf der Hand trägt, während ihr ein Affe einen Spiegel vorhält. Auf dem Balkone dieses Hauses standen viele Ritter und Damen, in lächelnder Unterhaltung hinabblickend auf das Volk, das unten in tollen Gruppen und Aufzügen hin und her wogte. Welche Menge Müßiggänger von jedem Stande und Alter drängte sich hier, um ihre Schaulust zu befriedigen. Hier wurde gelacht, gegreint, gestohlen, in die Lenden gekniffen, gejubelt, und zwischendrein schmetterte gellend die Trompete des Arztes, der im roten Mantel, mit seinem Hanswurst und Affen, auf einem hohen Gerüste stand, seine eigne Kunstfertigkeit recht eigentlich ausposaunte, seine Tinkturen und Wundersalben anpries, oder ernsthaft das Uringlas betrachtete, das ihm irgendein altes Weib vorhielt, oder sich anschickte einem armen Bauer den Backzahn auszureißen. Zwei Fechtmeister, in bunten Bändern einherflatternd, ihre Rapiere schwingend, begegneten sich hier wie zufällig und stießen mit Scheinzorn aufeinander; nach langem Gefechte erklärten sie sich wechselseitig für unüberwindlich und sammelten einige Pfennige. Mit Trommler und Pfeifer marschierte jetzt vorbei die neu errichtete Schützengilde. Hierauf folgte, angeführt von dem Stöcker, der eine rote Fahne trug, ein Rudel fahrender Fräulein, die aus dem Frauenhause »zum Esel« von Würzburg herkamen und nach dem Rosentale hinzogen, wo die hochlöbliche Obrigkeit ihnen für die Meßzeit ihr Quartier angewiesen. »Mach die Augen zu, schöne Sara!« – sagte der Rabbi. Denn jene phantastisch und allzu knapp bekleideten Weibsbilder, worunter einige sehr hübsche, gebärdeten auf die unzüchtigste Weise, entblößten ihren weißen, frechen Busen, neckten die Vorübergehenden mit schamlosen Worten, schwangen ihre langen Wanderstöcke, und indem sie auf letzteren, wie auf Steckenpferden, die Sankt-Katharinen-Pforte hinabritten, sangen sie mit gellender Stimme das Hexenlied:

> »Wo ist der Bock, das Höllentier?
> Wo ist der Bock? Und fehlt der Bock,
> So reiten wir, so reiten wir,
> So reiten wir auf dem Stock!«

Dieser Singsang, den man noch in der Ferne hören konnte, verlor sich am Ende in den kirchlich langgezogenen Tönen einer herannahenden Prozession. Das war ein trauriger Zug von kahlköpfigen und barfüßigen Mönchen, welche brennende Wachslichter oder Fahnen mit Heiligenbildern, oder auch große silberne Kruzifixe trugen. An ihrer Spitze gingen rot- und weißgeröckte Knaben mit dampfenden Weihrauchkesseln. In der Mitte des Zuges unter einem prächtigen Baldachin, sah man Geistliche in weißen Chorhemden von kostbaren Spitzen oder in buntseidenen Stolen, und einer derselben trug in der Hand ein sonnenartig goldnes Gefäß, das er, bei einer Heiligennische der Marktecke anlangend, hoch emporhob, während er lateinische Worte halb rief, halb sang ... Zugleich erklingelte ein kleines Glöckchen und alles Volk ringsum verstummte, fiel auf die Knie und bekreuzte sich. Der Rabbi aber sprach zu seinem Weibe: »mach die Augen zu, schöne Sara!« – und hastig zog er sie von hinnen, nach einem schmalen Nebengäßchen, durch ein Labyrinth von engen und krummen Straßen, und endlich über den unbewohnten, wüsten Platz, der das neue Judenquartier von der übrigen Stadt trennte.

Vor jener Zeit wohnten die Juden zwischen dem Dom und dem Mainufer, nämlich von der Brücke bis zum Lumpenbrunnen und von der Mehlwaage bis zu Sankt Bartholomäi. Aber die katholischen Priester erlangten eine päpstliche

Bulle, die den Juden verwehrte in solcher Nähe der Hauptkirche zu wohnen, und der Magistrat gab ihnen einen Platz auf dem Wollgraben, wo sie das heutige Judenquartier erbauten. Dieses war mit starken Mauern versehen, auch mit eisernen Ketten vor den Toren, um sie gegen Pöbelandrang zu sperren. Denn hier lebten die Juden ebenfalls in Druck und Angst, und mehr als heutzutage in der Erinnerung früherer Nöten. Im Jahr 1240 hatte das entzügelte Volk ein großes Blutbad unter ihnen angerichtet, welches man die erste Judenschlacht nannte, und im Jahr 1349, als die Geißler, bei ihrem Durchzuge die Stadt anzündeten und die Juden des Brandstiftens anklagten, wurden diese von dem aufgereizten Volke zum größten Teil ermordet oder sie fanden den Tod in den Flammen ihrer eignen Häuser, welches man die zweite Judenschlacht nannte. Später bedrohte man die Juden noch oft mit dergleichen Schlachten, und bei innern Unruhen Frankfurts, besonders bei einem Streite des Rates mit den Zünften, stand der Christenpöbel oft im Begriff das Judenquartier zu stürmen. Letzteres hatte zwei Tore, die an katholischen Feiertagen von außen, an jüdischen Feiertagen von innen geschlossen wurden, und vor jedem Tor befand sich ein Wachthaus mit Stadtsoldaten.

Als der Rabbi mit seinem Weibe an das Tor des Judenquartiers gelangte, lagen die Landsknechte, wie man durch die offnen Fenster sehen konnte, auf der Pritsche ihrer Wachtstube, und draußen, vor der Türe, im vollen Sonnenschein, saß der Trommelschläger und phantasierte auf seiner großen Trommel. Das war eine schwere dicke Gestalt; Wams und Hosen von feuergelbem Tuch, an Armen und Lenden weit aufgepufft, und als wenn unzählige Menschenzungen daraus hervorleckten, von oben bis unten besät mit kleinen eingenähten roten Wülstchen; Brust und Rücken gepanzert mit schwarzen Tuchpolstern, woran die Trommel hing; auf dem Kopfe eine platte runde schwarze Kappe; das Gesicht ebenso platt und rund, auch orangengelb und mit roten Schwärchen gespickt, und verzogen zu einem gähnenden Lächeln. So saß der Kerl und trommelte die Melodie des Liedes, das einst die Geißler bei der Judenschlacht gesungen, und mit seinem rauhen Biertone gurgelte er die Worte:

> »Unsre liebe Fraue,
> Die ging im Morgentaue,
> Kyrie Eleison!«

»Hans, das ist eine schlechte Melodie« – rief eine Stimme hinter dem verschlossenen Tore des Judenquartiers – »Hans, auch ein schlecht Lied, paßt nicht für die Trommel, paßt gar nicht, und beileibe nicht in der Messe und am Ostermorgen, schlecht Lied, gefährlich Lied, Hans, Hänschen, klein Trommelhänschen, ich bin ein einzelner Mensch, und wenn du mich lieb hast, wenn du den Stern lieb hast, den langen Stern, den langen Nasenstern, so hör auf!«

Diese Worte wurden von dem ungesehenen Sprecher, teils angstvoll hastig, teils aufseufzend langsam hervorgestoßen, in einem Tone worin das ziehend Weiche und das heiser Harte schroff abwechselte, wie man ihn bei Schwindsüchtigen findet. Der Trommelschläger blieb unbewegt, und in der vorigen Melodie forttrommelnd sang er weiter:

> »Da kam ein kleiner Junge,
> Sein Bart war ihm entsprungen,
> Halleluja!«

»Hans« – rief wieder die Stimme des obenerwähnten Sprechers – »Hans, ich bin ein einzelner Mensch, und es ist ein gefährlich Lied, und ich hör es nicht gern, und ich hab meine Gründe, und wenn du mich lieb hast, singst du was anders, und morgen trinken wir . . .«

Bei dem Wort »Trinken« hielt der Hans inne mit seinem Trommeln und Singen, und biedern Tones sprach er: »Der Teufel hole die Juden, aber du, lieber Nasenstern bist mein Freund, ich beschütze dich, und wenn wir noch oft zusammen trinken, werde ich dich auch bekehren. Ich will dein Pate sein, wenn du getauft wirst, wirst du selig, und wenn du Genie hast und fleißig bei mir lernst, kannst du sogar noch Trommelschläger werden. Ja, Nasenstern, du kannst es noch weit bringen, ich will dir den ganzen Katechismus vortrommeln, wenn wir morgen zusammen trinken – aber jetzt mach mal das Tor auf, da stehen zwei Fremde und begehren Einlaß.«

»Das Tor auf?« – schrie der Nasenstern und die Stimme versagte ihm fast. »Das geht nicht so schnell, lieber Hans, man kann nicht wissen, man kann gar nicht wissen, und ich bin ein einzelner Mensch. Der Veitel Rindskopf hat den Schlüssel und steht jetzt still in der Ecke und brümmelt sein Achtzehn-Gebet; da darf man sich nicht unterbrechen lassen. Jäkel der Narr ist auch hier, aber er schlägt jetzt sein Wasser ab. Ich bin ein einzelner Mensch!«

»Der Teufel hole die Juden!« rief der Trommelhans, und über diesen eignen Witz laut lachend, trollte er sich nach der Wachtstube und legte sich ebenfalls auf die Pritsche.

Während nun der Rabbi mit seinem Weibe jetzt ganz allein vor dem großen verschlossenen Tore stand, erhub sich hinter demselben eine schnarrende, näselnde, etwas spöttisch gezogene Stimme: »Sternchen, dröhnle nicht so lange, nimm die Schlüssel aus Rindsköpfchens Rocktasche, oder nimm deine Nase, und schließe damit das Tor auf. Die Leute stehen schon lange und warten.«

»Die Leute?« – schrie ängstlich die Stimme des Mannes, den man den Nasenstern nannte – »ich glaubte, es wäre nur Einer, und ich bitte dich, Narr, lieber Jäkel Narr, guck mal heraus wer da ist?«

Da öffnete sich im Tore ein kleines, wohlvergittertes Fensterlein, und zum Vorschein kam eine gelbe, zweihörnige Mütze und darunter das drollig verschnörkelte Lustigmachergesicht Jäkels des Narren. In demselben Augenblicke schloß sich wieder die Fensterluke und ärgerlich schnarrte es: »mach auf, mach auf, draußen ist nur ein Mann und ein Weib«.

»Ein Mann und ein Weib!« – ächzte der Nasenstern. – »Und wenn das Tor aufgemacht wird, wirft das Weib den Rock ab und es ist auch ein Mann, und es sind dann zwei Männer, und wir sind nur unserer drei!«

»Sei kein Hase« – erwiderte Jäkel der Narr – »und sei herzhaft und zeige Courage!«

»Courage!« – rief der Nasenstern und lachte mit verdrießlicher Bitterkeit – »Hase! Hase ist ein schlechter Vergleich, Hase ist ein unreines Tier. Courage! Man hat mich nicht der Courage wegen hierhergestellt, sondern der Vorsicht halber. Wenn zu viele kommen soll ich schreien. Aber ich selbst kann sie nicht zurückhalten. Mein Arm ist schwach, ich trage eine Fontenelle, und ich bin ein einzelner Mensch. Wenn man auf mich schießt bin ich tot. Dann sitzt der reiche Mendel Reiß am Sabbat bei Tische, und wischt sich vom Maul die Rosinensauce, und streichelt sich den Bauch, und sagt vielleicht: ›das lange Nasensternchen war doch ein braves Kerlchen, wäre Es nicht gewesen, so hätten sie das Tor gesprengt, Es hat sich doch für uns totschießen lassen, Es war ein braves Kerlchen, schade daß es tot ist –‹«

Die Stimme wurde hier allmählich weich und weinerlich, aber plötzlich schlug sie über in einen hastigen, fast erbitterten Ton: »Courage! Und damit der reiche Mendel Reiß sich die Rosinensauce vom Maul abwischen, und sich den Bauch streicheln, und mich braves Kerlchen nennen möge, soll ich mich totschießen lassen? Courage! Herzhaft! Der kleine Strauß war herzhaftig, und hat gestern auf dem Römer dem Stechen zugesehen, und hat geglaubt man kenne ihn nicht, weil er einen violetten Rock trug, von Samt, drei Gulden die Elle, mit Fuchsschwänzchen, ganz goldgestickt, ganz prächtig – und sie haben ihm den violetten Rock so lange geklopft bis er abfärbte und auch sein Rücken violett geworden ist und nicht mehr menschenähnlich sieht. Courage! Der krumme Leser war herzhaftig, nannte unseren lumpigen Schultheiß einen Lump, und sie haben ihn an den Füßen aufgehängt, zwischen zwei Hunden, und der Trommelhans trommelte. Courage! Sei kein Hase! Unter den vielen Hunden ist der Hase verloren, ich bin ein einzelner Mensch, und ich habe wirklich Furcht!«

»Schwör mal!« – rief Jäkel der Narr.

»Ich habe wirklich Furcht!« – wiederholte seufzend der

Nasenstern – »ich weiß die Furcht liegt im Geblüt und ich habe es von meiner seligen Mutter –«

»Ja, ja!« – unterbrach ihn Jäkel der Narr – »und deine Mutter hatte es von ihrem Vater, und der hatte es wieder von dem seinigen, und so hatten es deine Voreltern einer vom andern, bis auf deinen Stammvater, welcher unter König Saul gegen die Philister zu Felde zog und der erste war welcher Reißaus nahm. – Aber sieh mal, Rindsköpfchen ist gleich fertig, er hat sich bereits zum viertenmal gebückt, schon hüpft er wie ein Floh bei dem dreimaligen Worte Heilig, und jetzt greift er vorsichtig in die Tasche ...«

In der Tat, die Schlüssel rasselten, knarrend öffnete sich ein Flügel des Tores, und der Rabbi und sein Weib traten in die ganz menschenleere Judengasse. Der Aufschließer aber, ein kleiner Mann mit gutmütig sauerm Gesicht, nickte träumerisch wie einer, der in seinen Gedanken nicht gern gestört sein möchte, und nachdem er das Tor wieder sorgsam verschlossen, schlappte er, ohne ein Wort zu reden, nach einem Winkel hinter dem Tore, beständig Gebete vor sich hinmurmelnd. Minder schweigsam war Jäkel der Narr, ein untersetzter, etwas krummbeiniger Gesell, mit einem lachend vollroten Antlitz und einer unmenschlich großen Fleischhand, die er, aus den weiten Ärmeln seiner buntscheckigen Jacke, zum Willkomm hervorstreckte. Hinter ihm zeigte oder vielmehr barg sich eine lange, magere Gestalt, der schmale Hals weiß befiedert von einer feinen batistnen Krause, und das dünne, blasse Gesicht gar wundersam geziert mit einer fast unglaublich langen Nase, die sich neugierig angstvoll hin und her bewegte.

»Gott willkommen! zum guten Festtag!« – rief Jäkel der Narr – »wundert Euch nicht, daß jetzt die Gasse so leer und still ist. Alle unsere Leute sind jetzt in der Synagoge und Ihr kommt eben zur rechten Zeit um dort die Geschichte von der Opferung Isaaks vorlesen zu hören. Ich kenne sie, es ist eine interessante Geschichte, und wenn ich sie nicht schon dreiunddreißigmal angehört hätte, so würde ich sie gern dies Jahr noch einmal hören. Und es ist eine wichtige

Geschichte, denn wenn Abraham den Isaak wirklich geschlachtet hätte, und nicht den Ziegenbock, so wären jetzt mehr Ziegenböcke und weniger Juden auf der Welt.« – Und mit wahnsinnig lustiger Grimasse fing der Jäkel an folgendes Lied aus der Agade zu singen:

»Ein Böcklein, ein Böcklein, das gekauft Väterlein, er gab dafür zwei Suslein; ein Böcklein! ein Böcklein!

Es kam ein Kätzlein, und aß das Böcklein, das gekauft Väterlein, er gab dafür zwei Suslein; ein Böcklein, ein Böcklein!

Es kam ein Hündlein, und biß das Kätzlein, das gefressen das Böcklein, das gekauft Väterlein, er gab dafür zwei Suslein; ein Böcklein, ein Böcklein!

Es kam ein Stöcklein und schlug das Hündlein, das gebissen das Kätzlein, das gefressen das Böcklein, das gekauft Väterlein, er gab dafür zwei Suslein; ein Böcklein, ein Böcklein!

Es kam ein Feuerlein und verbrannte das Stöcklein, das geschlagen das Hündlein, das gebissen das Kätzlein, das gefressen das Böcklein, das gekauft Väterlein, er gab dafür zwei Suslein; ein Böcklein, ein Böcklein!

Es kam ein Wässerlein und löschte das Feuerlein, das verbrannt das Stöcklein, das geschlagen das Hündlein, das gebissen das Kätzlein, das gefressen das Böcklein, das gekauft Väterlein, er gab dafür zwei Suslein; ein Böcklein, ein Böcklein!

Es kam ein Öchslein und soff das Wässerlein, das gelöscht das Feuerlein, das verbrannt das Stöcklein, das geschlagen das Hündlein, das gebissen das Kätzlein, das gefressen das Böcklein, das gekauft Väterlein, er gab dafür zwei Suslein; ein Böcklein, ein Böcklein!

Es kam ein Schlächterlein und schlachtete das Öchslein, das gesoffen das Wässerlein, das gelöscht das Feuerlein, das verbrannt das Stöcklein, das geschlagen das Hündlein, das gebissen das Kätzlein, das gefressen das Böcklein, das gekauft Väterlein, er gab dafür zwei Suslein; ein Böcklein, ein Böcklein!

Es kam ein Todesenglein und schlachtete das Schlächterlein,

das geschlachtet das Öchslein, das gesoffen das Wässerlein, das gelöscht das Feuerlein, das verbrannt das Stöcklein, das geschlagen das Hündlein, das gebissen das Kätzlein, das gefressen das Böcklein, das gekauft Väterlein, er gab dafür zwei Suslein; ein Böcklein, ein Böcklein!«

»Ja, schöne Frau« – fügte der Sänger hinzu – »einst kommt der Tag, wo der Engel des Todes den Schlächter schlachten wird, und all unser Blut kommt über Edom; denn Gott ist ein rächender Gott – –«

Aber plötzlich den Ernst, der ihn unwillkürlich beschlichen, gewaltsam abstreifend, stürzte sich Jäkel der Narr wieder in seine Possenreißereien und fuhr fort mit schnarrendem Lustigmachertone: »Fürchtet Euch nicht, schöne Frau, der Nasenstern tut Euch nichts zu Leid. Nur für die alte Schnapper-Elle ist er gefährlich. Sie hat sich in seine Nase verliebt, aber die verdient es auch. Sie ist schön wie der Turm, der gen Damaskus schaut und erhaben wie die Zeder des Libanons. Auswendig glänzt sie wie Glimmgold und Syrop, und inwendig ist lauter Musik und Lieblichkeit. Im Sommer blüht sie, im Winter ist sie zugefroren, und Sommer und Winter wird sie gehätschelt von Schnapper-Elles weißen Händen. Ja, die Schnapper-Elle ist verliebt in ihn, ganz vernarrt. Sie pflegt ihn, sie füttert ihn, und sobald er fett genug ist, wird sie ihn heuraten, und für ihr Alter ist sie noch jung genug, und wer mal nach dreihundert Jahren hierher nach Frankfurt kömmt, wird den Himmel nicht sehen können vor lauter Nasensternen!«

»Ihr seid Jäkel der Narr« – rief lachend der Rabbi – »ich merk es an Euren Worten. Ich habe oft von Euch sprechen gehört.«

»Ja, ja« – erwiderte jener mit drolliger Bescheidenheit – »ja, ja, das macht der Ruhm. Man ist oft weit und breit für einen größern Narren bekannt als man selbst weiß. Doch ich gebe mir viele Mühe ein Narr zu sein, und springe und schüttle mich, damit die Schellen klingeln. Andre habens leichter ... Aber sagt mir, Rabbi, warum reiset Ihr am Feiertage?«

»Meine Rechtfertigung« – versetzte der Befragte – »steht im Talmud, und es heißt: Gefahr vertreibt den Sabbat.«

»Gefahr!« – schrie plötzlich der lange Nasenstern und gebärdete sich wie in Todesangst – »Gefahr! Gefahr! Trommelhans trommel, trommle, Gefahr! Gefahr! Trommelhans ...«

Draußen aber rief der Trommelhans mit seiner dicken Bierstimme: »Tausend Donner Sakrament! Der Teufel hole die Juden! Das ist schon das drittemal, daß du mich heute aus dem Schlafe weckst, Nasenstern! Mach mich nicht rasend! Wenn ich rase, werde ich wie der leibhaftige Satanas, und dann, so wahr ich ein Christ bin, dann schieße ich mit der Büchse durch die Gitterluke des Tores, und dann hüte jeder seine Nase!«

»Schieß nicht! Schieß nicht! ich bin ein einzelner Mensch« – wimmerte angstvoll der Nasenstern und drückte sein Gesicht fest an die nächste Mauer, und in dieser Stellung verharrte er zitternd und leise betend.

»Sagt, sagt, was ist passiert?« – rief jetzt auch Jäkel der Narr, mit all jener hastigen Neugier, die schon damals den Frankfurter Juden eigentümlich war.

Der Rabbi aber riß sich von ihm los und ging mit seinem Weibe weiter die Judengasse hinauf. »Sieh, schöne Sara« – sprach er seufzend – »wie schlecht geschützt ist Israel! Falsche Freunde hüten seine Tore von außen, und drinnen sind seine Hüter Narrheit und Furcht!«

Langsam wanderten die beiden durch die lange, leere Straße, wo nur hie und da ein blühender Mädchenkopf zum Fenster hinausguckte, während sich die Sonne in den blanken Scheiben festlich heiter bespiegelte. Damals nämlich waren die Häuser des Judenviertels noch neu und nett, auch niedriger wie jetzt, indem erst späterhin die Juden, als sie in Frankfurt sich sehr vermehrten und doch ihr Quartier nicht erweitern durften, dort immer ein Stockwerk über das andere bauten, sardellenartig zusammenrückten und dadurch an Leib und Seele verkrüppelten. Der Teil des Judenquartiers, der nach dem großen Brande stehen geblieben und den man die Alte

Gasse nennt, jene hohen schwarzen Häuser, wo ein grinsendes, feuchtes Volk umherschachert, ist ein schauderhaftes Denkmal des Mittelalters. Die ältere Synagoge existiert nicht mehr; sie war minder geräumig als die jetzige, die später erbaut wurde, nachdem die Nüremberger Vertriebenen in die Gemeinde aufgenommen worden. Sie lag nördlicher. Der Rabbi brauchte ihre Lage nicht erst zu erfragen. Schon aus der Ferne vernahm er die vielen, verworrenen und überaus lauten Stimmen. Im Hofe des Gotteshauses trennte er sich von seinem Weibe. Nachdem er an dem Brunnen, der dort steht, seine Hände gewaschen, trat er in jenen untern Teil der Synagoge, wo die Männer beten; die schöne Sara hingegen erstieg eine Treppe und gelangte oben nach der Abteilung der Weiber.

Diese obere Abteilung war eine Art Galerie mit drei Reihen hölzerner, braunrot angestrichener Sitze, deren Lehne oben mit einem hängenden Brette versehen war, das, um das Gebetbuch darauf zu legen, sehr bequem aufgeklappt werden konnte. Die Frauen saßen hier schwatzend nebeneinander, oder standen aufrecht, inbrünstig betend; manchmal auch traten sie neugierig an das große Gitter, das sich längs der Morgenseite hinzog und durch dessen dünne grüne Latten man hinabschauen konnte in die untere Abteilung der Synagoge. Dort, hinter hohen Betpulten, standen die Männer in ihren schwarzen Mänteln, die spitzen Bärte herabschießend über die weißen Halskrausen, und die plattbedeckten Köpfe mehr oder minder verhüllt von einem viereckigen, mit den gesetzlichen Schaufäden versehenen Tuche, das aus weißer Wolle oder Seide bestand, mitunter auch mit goldnen Tressen geschmückt war. Die Wände der Synagoge waren ganz einförmig geweißt, und man sah dort keine andere Zierat als etwa das vergüldete Eisengitter um die viereckige Bühne, wo die Gesetzabschnitte verlesen werden, und die heilige Lade, ein kostbar gearbeiteter Kasten, scheinbar getragen von marmornen Säulen mit üppigen Kapitälern, deren Blumen- und Laubwerk gar lieblich emporrankte, und bedeckt mit einem Vorhang von kornblauem Sammet, worauf mit Goldflittern, Perlen und bunten Steinen eine fromme Inschrift gestickt war. Hier hing die silberne Gedächtnis-Ampel und erhob sich ebenfalls eine vergitterte Bühne, auf deren Geländer sich allerlei heilige Geräte befanden, unter andern der siebenarmige Tempel-Leuchter, und vor demselben, das Antlitz gegen die Lade, stand der Vorsänger, dessen Gesang instrumentenartig begleitet wurde von den Stimmen seiner beiden Gehülfen, des Bassisten und des Diskantsingers. Die Juden haben nämlich alle wirkliche Instrumentalmusik aus ihrer Kirche verbannt, wähnend, daß der Lobgesang Gottes erbaulicher aufsteige aus der warmen Menschenbrust als aus kalten Orgelpfeifen. Recht kindlich freute sich die schöne Sara, als jetzt der Vorsänger, ein trefflicher Tenor, seine Stimme erhob und die uralten, ernsten Melodien, die sie so gut kannte, in noch nie geahnter junger Lieblichkeit aufblühten, während der Bassist, zum Gegensatze, die tiefen, dunkeln Töne hineinbrummte, und in den Zwischenpausen der Diskantsänger fein und süß trillerte. Solchen Gesang hatte die schöne Sara in der Synagoge von Bacherach niemals gehört, denn der Gemeindevorsteher, David Levi, machte dort den Vorsänger, und wenn dieser schon bejahrte zitternde Mann, mit seiner zerbröckelten, meckernden Stimme wie ein junges Mädchen trillern wollte, und in solch gewaltsamer Anstrengung seinen schlaff herabhängenden Arm fieberhaft schüttelte, so reizte dergleichen wohl mehr zum Lachen als zur Andacht.

Ein frommes Behagen, gemischt mit weiblicher Neugier, zog die schöne Sara ans Gitter, wo sie hinabschauen konnte in die untere Abteilung, die sogenannte Männerschule. Sie hatte noch nie eine so große Anzahl Glaubensgenossen gesehen, wie sie da unten erblickte, und es ward ihr noch heimlich wohler ums Herz in der Mitte so vieler Menschen, die ihr so nahe verwandt, durch gemeinschaftliche Abstammung, Denkweise und Leiden. Aber noch viel bewegter wurde die Seele des Weibes, als drei alte Männer ehrfurchtsvoll vor die heilige Lade traten, den glänzenden Vorhang an

die Seite schoben, den Kasten aufschlossen und sorgsam
jenes Buch herausnahmen, das Gott mit heilig eigner Hand
geschrieben und für dessen Erhaltung die Juden so viel
erduldet, so viel Elend und Haß, Schmach und Tod, ein
tausendjähriges Martyrtum. Dieses Buch, eine große Pergamentrolle, war wie ein fürstliches Kind in einem buntge-
stickten Mäntelchen von rotem Sammet gehüllt; oben, auf
den beiden Rollhölzern steckten zwei silberne Gehäuschen,
worin allerlei Granaten und Glöckchen sich zierlich bewegten und klingelten, und vorn, an silbernen Kettchen, hingen
goldne Schilde mit bunten Edelsteinen. Der Vorsänger nahm
das Buch, und als sei es ein wirkliches Kind, ein Kind um
dessentwillen man große Schmerzen erlitten und das man
nur desto mehr liebt, wiegte er es in seinen Armen, tänzelte
damit hin und her, drückte es an seine Brust, und durch-
schauert von solcher Berührung, erhub er seine Stimme zu
einem so jauchzend frommen Dankliede, daß es der schönen
Sara bedünkte, als ob die Säulen der heiligen Lade zu blühen
begönnen, und die wunderbaren Blumen und Blätter der
Kapitäler immer höher hinaufwüchsen, und die Töne des
Diskanten sich in lauter Nachtigallen verwandelten, und die
Wölbung der Synagoge gesprengt würde von den gewaltigen
Tönen des Bassisten, und die Freudigkeit Gottes herab-
strömte aus dem blauen Himmel. Das war ein schöner
Psalm. Die Gemeinde wiederholte chorartig die Schlußverse
und nach der erhöhten Bühne in der Mitte der Synagoge
schritt langsam der Vorsänger mit dem heiligen Buche,
während Männer und Knaben sich hastig hinzudrängten
um die Sammethülle desselben zu küssen oder auch nur zu
berühren. Auf der erwähnten Bühne zog man von dem
heiligen Buche das samtne Mäntelchen, so wie auch die mit
bunten Buchstaben beschriebenen Windeln, womit es
umwickelt war, und aus der geöffneten Pergamentrolle, in
jenem singenden Tone, der am Paschafest noch gar besonders moduliert wird, las der Vorsänger die erbauliche
Geschichte von der Versuchung Abrahams.
Die schöne Sara war bescheiden vom Gitter zurückgewi-

chen, und eine breite, putzbeladene Frau von mittlerem Alter und gar gespreizt wohlwollendem Wesen, hatte ihr, mit stummen Nicken, die Miteinsicht in ihrem Gebetbuche vergönnt. Diese Frau mochte wohl keine große Schriftgelehrtin sein; denn als sie die Gebete murmelnd vor sich hinlas, wie die Weiber, da sie nicht laut mitsingen dürfen, zu tun pflegen, so bemerkte die schöne Sara, daß sie viele Worte allzusehr nach Gutdünken aussprach und manche gute Zeile ganz überschlupperte. Nach einer Weile aber hoben sich schmachtend langsam die wasserklaren Augen der guten Frau, ein flaches Lächeln glitt über das porzellanhaft rot und weiße Gesicht, und mit einem Tone, der so vornehm als möglich hinschmelzen wollte, sprach sie zur schönen Sara: »Er singt sehr gut. Aber ich habe doch in Holland noch viel besser singen hören. Sie sind fremd und wissen vielleicht nicht, daß es der Vorsänger aus Worms ist, und daß man ihn hier behalten will wenn er mit jährlichen vierhundert Gulden zufrieden. Es ist ein lieber Mann und seine Hände sind wie Alabaster. Ich halte viel von einer schönen Hand. Eine schöne Hand ziert den ganzen Menschen!« – Dabei legte die gute Frau selbstgefällig ihre Hand, die wirklich noch schön war, auf die Lehne des Betpultes, und mit einer graziösen Beugung des Hauptes andeutend, daß sie sich im Sprechen nicht gern unterbrechen lasse, setzte sie hinzu: »Das Singerchen ist noch ein Kind und sieht sehr abgezehrt aus. Der Baß ist gar zu häßlich und unser Stern hat mal sehr witzig gesagt: ›Der Baß ist ein größerer Narr als man von einem Baß zu verlangen braucht‹ Alle drei speisen in meiner Garküche, und Sie wissen vielleicht nicht, daß ich Elle Schnapper bin.«

Die schöne Sara dankte für diese Mitteilung, wogegen wieder die Schnapper-Elle ihr ausführlich erzählte, wie sie einst in Amsterdam gewesen, dort wegen ihrer Schönheit gar vielen Nachstellungen unterworfen war, und wie sie drei Tage vor Pfingsten nach Frankfurt gekommen und den Schnapper geheuratet, wie dieser am Ende gestorben, wie er auf dem Todbette die rührendsten Dinge gesprochen, und wie es schwer sei als Vorsteherin einer Garküche die Hände zu konservieren. Manchmal sah sie nach der Seite, mit wegwerfendem Blicke, der wahrscheinlich einigen spöttischen jungen Weibern galt, die ihren Anzug musterten. Merkwürdig genug war diese Kleidung: ein weit ausgebauschter Rock von weißem Atlas, worin alle Tierarten der Arche Noä grellfarbig gestickt, ein Wams von Goldstoff wie ein Küraß, die Ärmel von rotem Samt, gelb geschlitzt, auf dem Haupte eine unmenschlich hohe Mütze, um den Hals eine allmächtige Krause von weißem Steiflinnen, so wie auch eine silberne Kette, woran allerlei Schaupfennige, Kameen und Raritäten, unter andern ein großes Bild der Stadt Amsterdam, bis über den Busen herabhingen. Aber die Kleidung der übrigen Frauen war nicht minder merkwürdig und bestand wohl aus einem Gemische von Moden verschiedener Zeiten, und manches Weiblein, bedeckt mit Gold und Diamanten, glich einem wandelnden Juwelierladen. Es war freilich den Frankfurter Juden damals eine bestimmte Kleidung gesetzlich vorgeschrieben, und zur Unterscheidung von den Christen, sollten die Männer an ihren Mänteln gelbe Ringe und die Weiber an ihren Mützen hochaufstehende blaugestreifte Schleier tragen. Jedoch im Judenquartier wurde diese obrigkeitliche Verordnung wenig beachtet, und dort, besonders an Festtagen, und zumal in der Synagoge, suchten die Weiber so viel Kleiderpracht als möglich gegeneinander auszukramen, teils um sich beneiden zu lassen, teils auch um den Wohlstand und die Kreditfähigkeit ihrer Eheherrn darzutun.

Während nun unten in der Synagoge die Gesetzabschnitte aus den Büchern Mosis vorgelesen werden, pflegt dort die Andacht etwas nachzulassen. Mancher macht es sich bequem und setzt sich nieder, flüstert auch wohl mit einem Nachbar über weltliche Angelegenheiten, oder geht hinaus auf den Hof, um frische Luft zu schöpfen. Kleine Knaben nehmen sich unterdessen die Freiheit ihre Mütter in der Weiberabteilung zu besuchen, und hier hat alsdann die Andacht wohl noch größere Rückschritte gemacht: hier wird geplaudert, geruddelt, gelacht, und, wie es überall geschieht, die jüngeren Frauen scherzen über die alten, und diese klagen wieder über Leichtfertigkeit der Jugend und Verschlechterung der Zeiten. Gleichwie es aber unten in der Synagoge zu Frankfurt einen Vorsänger gab, so gab·es in der obern Abteilung eine Vorklatscherin. Das war Hündchen Reiß, eine platte grünliche Frau, die jedes Unglück witterte und immer eine skandalose Geschichte auf der Zunge trug. Die gewöhnliche Zielscheibe ihrer Spitzreden war die arme Schnapper-Elle, sie wußte gar drollig die erzwungen vornehmen Gebärden derselben nachzuäffen, so wie auch den schmachtenden Anstand womit sie die schalkhaften Huldigungen der Jugend entgegennimmt.

»Wißt Ihr wohl«, – rief jetzt Hündchen Reiß – »die Schnapper-Elle hat gestern gesagt: ›Wenn ich nicht schön und klug und geliebt wäre, so möchte ich nicht auf der Welt sein!‹«

Da wurde etwas laut gekichert, und die nahstehende Schnapper-Elle, merkend daß es auf ihre Kosten geschah, hob verachtungsvoll ihr Auge empor, und wie ein stolzes Prachtschiff segelte sie nach einem entfernteren Platze. Die Vögele Ochs, eine runde, etwas täppische Frau, bemerkte mitleidig: die Schnapper-Elle sei zwar eitel und beschränkt, aber sehr bravmütig, und sie tue sehr viel Gutes an Leute, die es nötig hätten.

»Besonders an den Nasenstern« – zischte Hündchen Reiß. Und alle die das zarte Verhältnis kannten, lachten um so lauter.

»Wißt Ihr wohl« – setzte Hündchen hämisch hinzu – »der Nasenstern schläft jetzt auch im Hause der Schnapper-Elle ... Aber seht mal dort unten die Süschen Flörsheim trägt die Halskette, die Daniel Fläsch bei ihrem Manne versetzt hat. Die Fläsch ärgert sich ... Jetzt spricht sie mit der Flörsheim ... Wie sie sich so freundlich die Hand drücken! Und hassen sich doch wie Midian und Moab! Wie sie sich so liebevoll anlächeln! Freßt Euch nur nicht vor lauter Zärtlichkeit! Ich will mir das Gespräch anhören.«

Und nun, gleich einem lauernden Tiere, schlich Hündchen Reiß hinzu und hörte, daß die beiden Frauen teilnehmend einander klagten, wie sehr sie sich verflossene Woche abgearbeitet, um in ihren Häusern aufzuräumen und das Küchengeschirr zu scheuern, was vor dem Paschafeste geschehen muß, damit kein einziges Brosämchen der gesäuerten Bröte daran kleben bleibe. Auch von der Mühseligkeit beim Backen der ungesäuerten Bröte sprachen die beiden Frauen. Die Fläsch hatte noch besondere Beklagnisse: im Backhause der Gemeinde mußte sie viel Ärger erleiden, nach der Entscheidung des Loses konnte sie dort erst in den letzten Tagen, am Vorabend des Festes, und erst spät nachmittags zum Backen gelangen, die alte Hanne hatte den Teig schlecht geknetet, die Mägde rollten mit ihren Wergelhölzern den Teig viel zu dünn, die Hälfte der Bröte verbrannte im Ofen, und außerdem regnete es so stark, daß es durch das bretterne Dach des Backhauses beständig tröpfelte, und sie mußten sich dort, naß und müde, bis tief in die Nacht abarbeiten.

»Und daran, liebe Flörsheim« – setzte die Fläsch hinzu mit einer schonenden Freundlichkeit, die keineswegs echt war – »daran waren Sie auch ein bißchen schuld, weil Sie mir nicht Ihre Leute zur Hülfleistung beim Backen geschickt haben.«

»Ach Verzeihung« – erwiderte die andre – »meine Leute waren zu sehr beschäftigt, die Meßwaren müssen verpackt werden, wir haben jetzt so viel zu tun, mein Mann ...«

»Ich weiß« – fiel ihr die Fläsch mit schneidend hastigem Tone in die Rede – »ich weiß, Ihr habt viel zu tun, viel Pfänder und gute Geschäfte, und Halsketten ...«

Eben wollte ein giftiges Wort den Lippen der Sprecherin entgleiten und die Flörsheim ward schon rot wie ein Krebs, als plötzlich Hündchen Reiß laut aufkreischte: »Um Gottes willen, die fremde Frau liegt und stirbt ... Wasser! Wasser!«

Die schöne Sara lag in Ohnmacht, blaß wie der Tod, und um sie herum drängte sich ein Schwarm von Weibern, geschäftig und jammernd. Die eine hielt ihr den Kopf, eine zweite hielt ihr den Arm; einige alte Frauen besprritzten sie mit den Wassergläschen, die hinter ihren Betpulten hängen, zum Behufe des Händewaschens, im Fall sie zufällig ihren eignen Leib berührten; andre hielten unter die Nase der Ohnmächtigen eine alte Zitrone, die mit Gewürznägelchen durchstochen, noch vom letzten Fasttage herrührte, wo sie zum nervenstärkenden Anriechen diente. Ermattet und tief seufzend schlug endlich die schöne Sara die Augen auf, und mit stummen Blicken dankte sie für die gütige Sorgfalt. Doch jetzt ward unten das Achtzehn-Gebet, welches niemand versäumen darf, feierlich angestimmt, und die geschäftigen Weiber eilten zurück nach ihren Plätzen, und verrichteten jenes Gebet, wie es geschehen muß, stehend und das Gesicht gewendet gegen Morgen, welches die Himmelsgegend wo Jerusalem liegt. Vögele Ochs, Schnapper-Elle und Hündchen Reiß verweilten am längsten bei der schönen Sara; die beiden ersteren indem sie ihr eifrigst ihre Dienste anboten, die letztere, nachdem sie sich nochmals bei ihr erkundigte: weshalb sie so plötzlich ohnmächtig geworden?

Die Ohnmacht der schönen Sara hatte aber eine ganz besondere Ursache. Es ist nämlich Gebrauch in der Synagoge, daß jemand, welcher einer großen Gefahr entronnen, nach der Verlesung der Gesetzabschnitte, öffentlich hervortritt und der göttlichen Vorsicht für seine Rettung dankt. Als nun Rabbi Abraham zu solcher Danksagung unten in der Synagoge sich erhob, und die schöne Sara die Stimme ihres Mannes erkannte, merkte sie wie der Ton derselben allmählich in das trübe Gemurmel des Totengebetes überging, sie hörte die Namen ihrer Lieben und Verwandten, und zwar begleitet von jenem segnenden Beiwort, das man den Verstorbenen erteilt: und die letzte Hoffnung schwand aus der Seele der schönen Sara, und ihre Seele ward zerrissen von der Gewißheit, daß ihre Lieben und Verwandte wirklich ermordet worden, daß ihre kleine Nichte tot sei, daß auch ihre Bäschen, Blümchen und Vögelchen, tot seien, auch der

kleine Gottschalk tot sei, alle ermordet und tot! Von dem
Schmerze dieses Bewußtseins wäre sie schier selber gestor-
ben, hätte sich nicht eine wohltätige Ohnmacht über ihre
Sinne ergossen.

Drittes Kapitel

Als die schöne Sara nach beendigtem Gottesdienste, in den
Hof der Synagoge hinabstieg, stand dort der Rabbi harrend
seines Weibes. Er nickte ihr mit heiterem Antlitz und gelei-
tete sie hinaus auf die Straße, wo die frühere Stille ganz
verschwunden und ein lärmiges Menschengewimmel zu
schauen war. Bärtige Schwarzröcke, wie Ameisenhaufen;
Weiber, glanzreich hinflatternd, wie Goldkäfer; neugeklei-
dete Knaben, die den Alten die Gebetbücher nachtrugen;
junge Mädchen, die, weil sie nicht in die Synagoge gehen
dürfen, jetzt aus den Häusern ihren Eltern entgegenhüpfen,
vor ihnen die Lockenköpfchen beugen, um den Segen zu
empfangen: alle heiter und freudig, und die Gasse auf und ab
spazierend, im seligen Vorgefühl eines guten Mittagmahls,
dessen lieblicher Duft schon mundwässernd hervorstieg, aus
den schwarzen, mit Kreide bezeichneten Töpfen, die eben
von den lachenden Mägden aus dem großen Gemeindeofen
geholt worden.
In diesem Gewirre war besonders bemerkbar die Gestalt
eines spanischen Ritters, auf dessen jugendlichen Gesichts-
zügen jene reizende Blässe lag, welche die Frauen gewöhnlich einer unglücklichen Liebe, die Männer hingegen einer
glücklichen zuschreiben. Sein Gang, obschon gleichgültig
hinschlendernd, hatte dennoch eine etwas gesuchte Zierlich-
keit; die Federn seines Barettes bewegten sich mehr durch
das vornehme Wiegen des Hauptes, als durch das Wehen des
Windes; mehr als eben notwendig klirrten seine goldenen
Sporen und das Wehrgehänge seines Schwertes, welches er
im Arme zu tragen schien, und dessen Griff kostbar hervor-

blitzte aus dem weißen Reutermantel, der seine schlanken Glieder scheinbar nachlässig umhüllte und dennoch den sorgfältigsten Faltenwurf verriet. Hin und wieder, teils mit Neugier, teils mit Kennermienen nahte er sich den vorüberwandelnden Frauenzimmern, sah ihnen seelenruhig fest ins Antlitz, verweilte bei solchem Anschaun, wenn die Gesichter der Mühe lohnten, sagte auch manchem liebenswürdigen Kinde einige rasche Schmeichelworte, und schritt sorglos weiter ohne die Wirkung zu erwarten. Die schöne Sara hatte er schon mehrmals umkreist, jedesmal wieder zurückgescheucht von dem gebietenden Blick derselben oder auch von der rätselhaft lächelnden Miene ihres Mannes, aber endlich, in stolzem Abstreifen aller scheuen Befangenheit, trat er beiden keck in den Weg, und mit stutzerhafter Sicherheit und süßlich galantem Tone hielt er folgende Anrede:

»Sennora, ich schwöre! Hört, Sennora, ich schwöre! Bei den Rosen beider Kastilien, bei den aragonesischen Hyazinthen und andalusischen Granatblüten! Bei der Sonne, die ganz Spanien mit all seinen Blumen, Zwiebeln, Erbsensuppen, Wäldern, Bergen, Mauleseln, Ziegenböcken und Alt-Christen beleuchtet! Bei der Himmelsdecke, woran diese Sonne nur ein goldner Quast ist! Und bei dem Gott, der auf der Himmelsdecke sitzt, und Tag und Nacht über neue Bildung holdseliger Frauengestalten nachsinnt ... Ich schwöre, Sennora, Ihr seid das schönste Weib, das ich im deutschen Lande gesehen habe, und so Ihr gewillet seid meine Dienste anzunehmen, so bitte ich Euch um die Gunst, Huld und Erlaubnis mich Euren Ritter nennen zu dürfen, und in Schimpf und Ernst Eure Farben zu tragen!«

Ein errötender Schmerz glitt über das Antlitz der schönen Sara, und mit einem Blicke, der um so schneidender wirkt, je sanfter die Augen sind, die ihn versenden, und mit einem Tone, der um so vernichtender je bebend weicher die Stimme, antwortete die tief gekränkte Frau:

»Edler Herr! Wenn Ihr mein Ritter sein wollt, so müßt Ihr gegen ganze Völker kämpfen, und in diesem Kampfe gibt es wenig Dank und noch weniger Ehre zu gewinnen! Und wenn Ihr gar meine Farben tragen wollt, so müßt Ihr gelbe Ringe auf Euren Mantel nähen oder eine blaugestreifte Schärpe umbinden: denn dieses sind meine Farben, die Farben meines Hauses, des Hauses, welches Israel heißt, und sehr elend ist, und auf den Gassen verspottet wird von den Söhnen des Glücks!«

Plötzliche Purpurröte bedeckte die Wangen des Spaniers, eine unendliche Verlegenheit arbeitete in allen seinen Zügen und fast stotternd sprach er:

»Sennora . . . Ihr habt mich mißverstanden . . . unschuldiger Scherz . . . aber, bei Gott, kein Spott, kein Spott über Israel . . . ich stamme selber aus dem Hause Israel . . . mein Großvater war ein Jude, vielleicht sogar mein Vater . . .«

»Und ganz sicher, Sennor, ist Eur Oheim ein Jude« – fiel ihm der Rabbi, der dieser Szene ruhig zugesehen, plötzlich in die Rede, und mit einem fröhlich neckenden Blicke setzte er hinzu: – »und ich will mich selbst dafür verbürgen, daß Don Isaak Abarbanel, Neffe des großen Rabbi, dem besten Blute Israels entsprossen ist, wo nicht gar dem königlichen Geschlechte Davids!«

Da klirrte das Schwertgehänge unter dem Mantel des Spaniers, seine Wangen erblichen wieder bis zur fahlsten Blässe, auf seiner Oberlippe zuckte es wie Hohn, der mit dem Schmerze ringt, aus seinen Augen grinste der zornigste Tod, und in einem ganz verwandelten, eiskalten, scharfgehackten Tone, sprach er:

»Sennor Rabbi! Ihr kennt mich. Nun wohlan, so wißt Ihr auch, wer ich bin. Und weiß der Fuchs, daß ich der Brut des Löwen angehöre, so wird er sich hüten, und seinen Fuchsbart nicht in Lebensgefahr bringen und meinen Zorn nicht reizen! Wie will der Fuchs den Löwen richten? Nur wer wie der Löwe fühlt, kann seine Schwächen begreifen . . .«

»Oh, ich begreife es wohl« – antwortete der Rabbi und wehmütiger Ernst zog über seine Stirne – »ich begreife es wohl, wie der stolze Leu aus Stolz seinen fürstlichen Pelz abwirft und sich in den bunten Schuppenpanzer des Krokodils verkappt, weil es Mode ist ein greinendes, schlaues, gefräßiges Krokodil zu sein! Was sollen erst die geringeren Tiere beginnen, wenn sich der Löwe verleugnet? Aber hüte dich, Don Isaak, du bist nicht geschaffen für das Element des Krokodils. Das Wasser – (du weißt wohl wovon ich rede) – ist dein Unglück, und du wirst untergehen. Nicht im Wasser ist dein Reich; die schwächste Forelle kann besser darin gedeihen als der König des Waldes. Weißt du noch, wie dich die Strudel des Tago verschlingen wollten ...«

In ein lautes Gelächter ausbrechend, fiel Don Isaak plötzlich dem Rabbi um den Hals, verschloß seinen Mund mit Küssen, sprang sporenklirrend vor Freude in die Höhe, daß die vorbeigehenden Juden zurückschraken, und in seinem natürlich herzlich heiteren Tone rief er:

»Wahrhaftig, du bist Abraham von Bacherach! Und es war ein guter Witz und obendrein ein Freundschaftsstück, als du zu Toledo von der Alkantara-Brücke ins Wasser sprangest und deinen Freund, der besser trinken als schwimmen konnte, beim Schopf faßtest und aufs Trockene zogest! Ich war nahe dran, recht gründliche Untersuchungen anzustellen: ob auf dem Grunde des Tago wirklich Goldkörner zu finden, und ob ihn mit Recht die Römer den goldnen Fluß genannt haben? Ich sage dir, ich erkälte mich noch heute durch die bloße Erinnerung an jene Wasserpartie.«

Bei diesen Worten gebärdete sich der Spanier, als wollte er anhängende Wassertropfen von sich abschütteln. Das Antlitz des Rabbi aber war gänzlich aufgeheitert. Er drückte seinem Freunde wiederholentlich die Hand und jedesmal sagte er: »Ich freue mich!«

»Und ich freue mich ebenfalls« – sprach der andere – »wir haben uns seit sieben Jahren nicht gesehen; bei unserem Abschied war ich noch ein ganz junger Gelbschnabel, und du, du warst schon so gesetzt und ernsthaft ... Was ward aber aus der schönen Donna, die dir damals so viele Seufzer kostete, wohlgereimte Seufzer, die du mit Lautenklang begleitet hast ...«

»Still, still! die Donna hört uns, sie ist mein Weib, und du selbst hast ihr heute eine Probe deines Geschmackes und Dichtertalentes dargebracht.«

Nicht ohne Nachwirkung der früheren Verlegenheit, begrüßte der Spanier die schöne Frau, welche mit anmutiger Güte jetzt bedauerte, daß sie durch Äußerungen des Unmuts einen Freund ihres Mannes betrübt habe.

»Ach, Sennora« – antwortete Don Isaak – »wer mit täppischer Hand nach einer Rose griff, darf sich nicht beklagen, daß ihn die Dornen verletzten! Wenn der Abendstern sich im blauen Strome goldfunkelnd abspiegelt ...«

»Ich bitte dich um Gotteswillen« – unterbrach ihn der Rabbi – »hör auf ... Wenn wir so lange warten sollen bis der Abendstern sich im blauen Strome goldfunkelnd abspiegelt, so verhungert meine Frau; sie hat seit gestern nichts gegessen und seitdem viel Ungemach und Mühsal erlitten.«

»Nun so will ich Euch nach der besten Garküche Israels führen« – rief Don Isaak – »nach dem Hause meiner Freundin Schnapper-Elle, das hier in der Nähe. Schon rieche ich ihren holden Duft, nämlich der Garküche. O wüßtest du, Abraham, wie dieser Duft mich anspricht! Er ist es, der mich, seit ich in dieser Stadt verweile, so oft hinlockt nach den Zelten Jakobs. Der Verkehr mit dem Volke Gottes ist sonst nicht meine Liebhaberei, und wahrlich nicht um hier zu beten, sondern um zu essen besuche ich die Judengasse ...«

»Du hast uns nie geliebt, Don Isaak ...«

»Ja« – fuhr der Spanier fort – »ich liebe Eure Küche weit mehr als Euren Glauben; es fehlt ihm die rechte Sauce. Euch selber habe ich nie ordentlich verdauen können. Selbst in Euren besten Zeiten, selbst unter der Regierung meines Ahnherrn Davids, welcher König war über Juda und Israel, hätte ich es nicht unter Euch aushalten können, und ich wäre gewiß eines frühen Morgens aus der Burg Sion entsprungen und nach Phönizien emigriert, oder nach Babylon, wo die Lebenslust schäumte im Tempel der Götter ...«

»Du lästerst, Isaak, den einzigen Gott« – murmelte finster

der Rabbi – »du bist weit schlimmer als ein Christ, du bist ein Heide, ein Götzendiener . . .«

»Ja, ich bin ein Heide, und eben so zuwider wie die dürren, freudlosen Hebräer sind mir die trüben, qualsüchtigen Nazarener. Unsre liebe Frau von Sidon, die heilige Astarte, mag es mir verzeihen, daß ich vor der schmerzenreichen Mutter des Gekreuzigten niederkniee und bete . . . Nur mein Knie und meine Zunge huldigt dem Tode, mein Herz blieb treu dem Leben! . . .«

»Aber schau nicht so sauer« – fuhr der Spanier fort in seiner Rede, als er sah wie wenig dieselbe den Rabbi zu erbauen schien – »schau mich nicht an mit Abscheu. Meine Nase ist nicht abtrünnig geworden. Als mich einst der Zufall, um Mittagszeit in diese Straße führte, und aus den Küchen der Juden mir die wohlbekannten Düfte in die Nase stiegen: da erfaßte mich jene Sehnsucht, die unsere Väter empfanden, als sie zurückdachten an die Fleischtöpfe Egyptens; wohlschmeckende Jugenderinnerungen stiegen in mir auf; ich sah wieder im Geiste die Karpfen mit brauner Rosinensauce, die meine Tante für den Freitagabend so erbaulich zu bereiten wußte; ich sah wieder das gedämpfte Hammelfleisch mit Knoblauch und Mairettig, womit man die Toten erwecken kann, und die Suppe mit schwärmerisch schwimmenden Klößchen . . . und meine Seele schmolz, wie die Töne einer verliebten Nachtigall, und seitdem esse ich in der Garküche meiner Freundin Donna Schnapper-Elle!«

Diese Garküche hatte man unterdessen erreicht; Schnapper-Elle selbst stand an der Türe ihres Hauses, die Meßfremden, die sich hungrig hineindrängten, freundlich begrüßend. Hinter ihr, den Kopf über ihre Schulter hinauslehnend, stand der lange Nasenstern und musterte neugierig ängstlich die Ankömmlinge. Mit übertriebener Grandezza nahte sich Don Isaak unserer Gastwirtin, die seine schalkhaft tiefen Verbeugungen mit unendlichen Knicksen erwiderte; drauf zog er den Handschuh ab von seiner rechten Hand, umwickelte sie mit dem Zipfel seines Mantels, ergriff damit die

44

Hand der Schnapper-Elle, strich sie langsam über die Haare seines Stutzbartes und sprach:

»Sennora! Eure Augen wetteifern mit den Gluten der Sonne! Aber obgleich die Eier, je länger sie gekocht werden, sich desto mehr verhärten, so wird dennoch mein Herz nur um so weicher je länger es von den Flammenstrahlen Eurer Augen gekocht wird! Aus der Dotter meines Herzens flattert hervor der geflügelte Gott Amur und sucht ein trauliches Nestchen in Eurem Busen ... Diesen Busen, Sennora, womit soll ich ihn vergleichen? Es gibt in der weiten Schöpfung keine Blume, keine Frucht, die ihm ähnlich wäre! Dieses Gewächs ist einzig in seiner Art. Obgleich der Sturm die zartesten Röslein entblättert, so ist doch Eur Busen eine Winterrose, die allen Winden trotzt! Obgleich die saure Zitrone, je mehr sie altert, nur desto gelber und runzlichter wird, so wetteifert dennoch Eur Busen mit der Farbe und Zartheit der süßesten Ananas! O Sennora, ist auch die Stadt Amsterdam so schön, wie Ihr mir gestern und vorgestern und alle Tage erzählt habt, so ist doch der Boden worauf sie ruht noch tausendmal schöner ...«

Der Ritter sprach diese letztern Worte mit erheuchelter Befangenheit und schielte schmachtend nach dem großen Bilde, das an Schnapper-Elles Halse hing; der Nasenstern schaute von oben herab mit suchenden Augen, und der belobte Busen setzte sich in eine so wogende Bewegung, daß die Stadt Amsterdam hin und her wackelte.

»Ach!« – seufzte die Schnapper-Elle – »Tugend ist mehr wert als Schönheit. Was nützt mir die Schönheit? Meine Jugend geht vorüber, und seit Schnapper tot ist – er hat wenigstens schöne Hände gehabt – was hilft mir da die Schönheit?«

Und dabei seufzte sie wieder, und wie ein Echo, fast unhörbar, seufzte hinter ihr der Nasenstern.

»Was Euch die Schönheit nützt« – rief Don Isaak – »Oh, Donna Schnapper-Elle, versündigt Euch nicht an der Güte der schaffenden Natur! Schmäht nicht ihre holdesten Gaben! Sie würde sich furchtbar rächen. Diese beseligenden

45

Augen würden blöde verglasen, diese anmutigen Lippen würden sich bis ins Abgeschmackte verplatten, dieser keusche, liebesuchende Leib würde sich in eine schwerfällige Talgtonne verwandeln, die Stadt Amsterdam würde auf einen muffigen Morast zu ruhen kommen –«

Und so schilderte er Stück vor Stück das jetzige Aussehn der Schnapper-Elle, so daß der armen Frau sonderbar beängstigend zu Mute ward, und sie den unheimlichen Reden des Ritters zu entrinnen suchte. In diesem Augenblicke war sie doppelt froh als sie der schönen Sara ansichtig ward und sich angelegentlichst erkundigen konnte, ob sie ganz von ihrer Ohnmacht genesen. Sie stürzte sich dabei in ein lebhaftes Gespräch, worin sie alle ihre falsche Vornehmtuerei und echte Herzensgüte entwickelte, und mit mehr Weitläuftigkeit als Klugheit die fatale Geschichte erzählte, wie sie selbst vor Schrecken fast in Ohnmacht gefallen wäre, als sie wildfremd mit der Trekschuite zu Amsterdam ankam, und der spitzbübische Träger ihres Koffers sie nicht in ein ehrbares Wirtshaus, sondern in ein freches Frauenhaus brachte, was sie bald gemerkt an dem vielen Branntweingesöffe und den unsittlichen Zumutungen ... und sie wäre, wie gesagt, wirklich in Ohnmacht gefallen, wenn sie es, während den sechs Wochen, die sie in jenem verfänglichen Hause zubrachte, nur einen Augenblick wagen durfte die Augen zu schließen ...

»Meiner Tugend wegen« – setzte sie hinzu – »durfte ich es nicht wagen. Und das alles passierte mir wegen meiner Schönheit! Aber Schönheit vergeht und Tugend besteht.«

Don Isaak war schon im Begriff die Einzelheiten dieser Geschichte kritisch zu beleuchten, als glücklicherweise der scheele Aaron Hirschkuh, von Homburg an der Lahn, mit der weißen Serviette im Maule, aus dem Hause hervorkam, und ärgerlich klagte, daß schon längst die Suppe aufgetragen sei und die Gäste zu Tische säßen und die Wirtin fehle. – – –

(Der Schluß und die folgenden Kapitel sind, ohne Verschulden des Autors, verlorengegangen.)

Anmerkungen

3,1 *Heinrich Laube:* jungdeutscher Schriftsteller (1806–84), mit dem Heine lange sehr eng befreundet war. Eigentlich wollte er Laube seine ebenfalls 1840 erschienene Denkschrift »Ludwig Börne« widmen. Als dies aus zeitlichen Gründen scheiterte, übertrug er die Widmung auf den »Rabbi«.

3,20 *Munizipien:* altrömische Landstädte. Als solche ist Bacharach jedoch nicht nachweisbar.

4,2 *Burg Sareck:* Gemeint ist Burg Stahleck.

4,7 f. *Judengemeinde:* Juden sind in Bacharach erst seit dem 12. Jahrhundert nachweisbar.

4,18 *Flagellanten:* Geißler (vgl. S. 24).

4,27 *oft wiederholte Märchen:* vgl. Heines ›Damaskus-Briefe‹ in »Lutetia«. Siehe S. 59 ff. dieser Ausgabe.

5,4 *Sankt Werner:* Informationen darüber holte sich Heine vermutlich in den Quellen Basnage, Schudt und Schreiber (s. S. 68).

6,11 f. *»Ich nehme dich zu meinem Weibe . . .«:* Diese Formel hatte, wenn überhaupt, nur Gültigkeit, wenn die Braut einwilligte und mindestens zwei Zeugen zugegen waren.

7,14 *Pascha:* griechische Form von *Passah* oder *Pesach* (›schonendes Vorübergehen‹); vgl. 2. Mose 12.

7,17 f. *Nissen:* mundartlich für *Nisan*, Frühlingsmonat, der erste Monat im jüdischen Jahr (zweite Märzhälfte, erste Aprilhälfte).

7,28 *Agade:* Haggada, Teil der rabbinischen Überlieferung, dient in Anlehnung an biblische Stoffe der Erbauung und Belehrung.

9,18 *Mizri:* Ägypter.

10,15 f. *mit vorgeschriebenen Worten:* »Warum ist es in dieser Nacht anders als in allen anderen Nächten?«

10,26 *wunderbaren Geschichte:* Legende aus dem Talmud, einer Sammlung der Gesetze und religiösen Überlieferungen des nachbiblischen Judentums.

10,28 *Bona-Brak:* B'ne B'rak, Stadt in Israel.

12,8 *Burg-Strahleck:* Gemeint ist Burg Stahleck (s. S. 4).

12,18 *Burg Sonneck:* Gemeint ist Burg Sooneck.

12,19 *Niederrheinbach:* so im Erstdruck und in der hier zugrundeliegenden Ausgabe von O. Walzel. Gemeint ist Niederheimbach, wie Heine in der letzten Handschrift von 1824 noch richtig geschrieben hatte.

12,30 *Schadai:* Allmächtiger.

14,20 *Kädrich:* Die Sage vom Teufelskädrich, einem Aussichtspunkt gegenüber von Bacharach, entnahm Heine wahrscheinlich Schreibers »Handbuch für Reisende am Rhein« (s. S. 68).

14,31 *Wispertale:* Diese Sage, die Heine ausführlich in seiner Schrift »Elementargeister« erzählt, ist ebenfalls Schreiber (s. S. 68) entnommen.

15,31 *Lauberhütte:* Laubhütte, eine mit Zweigen, Laub und Früchten geschmückte Hütte, in der das Laubhüttenfest, ein Erntedankfest, begangen wird, bei dem zugleich die Erinnerung an den Schutz Gottes bei der Wanderung durch die Wüste gefeiert wird.

16,4 *Ich nehme dich hiermit:* vgl. Anm. zu 6,11.

16,33 *Hattos Mäuseturm:* auf einer Rheininsel bei Bingen, wo der Sage nach der hartherzige Erzbischof Hatto von Mainz zur Strafe für die Verbrennung Hungernder von Mäusen aufgefressen worden sein soll.

17,9 *Zehntausend zur Rechten:* Anklang an ein jüdisches Nachtgebet und an das Hohelied (3,7 f.)

18,10 *Myrrhen:* Gemeint sind Myrthen.

18,17 *fünftausend Rattenschwänze:* Kollektivstrafe, vermutlich verhängt wegen Teilnahme eines verkleideten Juden an einem Turnier.

21,33 *Stöcker:* Stock- oder Kerkermeister.

24,5 *»Unsre liebe Fraue …«:* Heine übernahm das Lied in leichter Veränderung aus der Limburger Chronik (s. S. 68).

24,15 *Stern, Nasenstern:* Diese Gestalt wird auch in der Schrift über »Ludwig Börne« und in »Lutetia« erwähnt.

25,8 *Rindskopf:* Name des Frankfurter Bankiers, bei dem Heine 1816 eine (bald wieder abgebrochene) Banklehre absolvierte.

25,10 *Achtzehn-Gebet:* Schemone Esre, dreimal an Wochentagen zu verrichtendes Hauptgebet mit achtzehn (eigtl. neunzehn) Segenssprüchen.

26,9 *Fontenelle:* Fontanelle, künstlich offengehaltenes Geschwür, durch das schädliche Stoffe aus dem Körper ausgeschieden werden sollten; ein bis ins 19. Jahrhundert übliches Verfahren.

26,32 *aufgehängt, zwischen zwei Hunden:* bis ins 18. Jahrhundert häufig angewandte Form der Urteilsvollstreckung an Juden.

27,11 *Heilig:* Nicht detailgenaue Anspielung auf einen synagogalen Ritus.

28,5 *Lied aus der Agade:* Chad gadja, Schlußlied der Haggada (vgl. Anm. zu 7,28).

28,7 *Suslein:* Pfennige, abgeleitet von frz. *Sou.*

29,8 *Edom:* den Juden feindliches Volk, hier allgemein für ›Judenfeinde‹. Vgl. dazu Heines Gedicht »An Edom«, s. Nachwort dieser Ausgabe, S. 80.

29,17 *Turm, der gen Damaskus schaut:* Heine verwendet hier Bilder aus dem Hohenlied (7,5).

30,36 f. *nach dem großen Brande:* im Jahre 1711.

32,30 *Männerschule:* »Schule« wird oft für Synagoge (als Stätte der Belehrung) gebraucht.

35,11 *Kameen:* Edelsteine mit erhabener figürlicher Darstellung.

35,20 f. *gelbe Ringe:* seit 1215 für die Juden allgemein vorgeschriebene Unterscheidungszeichen; in Frankfurt wurde diese Anordnung 1452 erneuert und verschärft.

36,1 *geruddelt:* ruddeln, Jargon für ›klatschen‹.

36,35 *Midian und Moab:* Midianiter und Moabiter, zwei den Juden verwandte Volksstämme, standen in sprichwörtlicher Feindschaft zueinander.

38,6 *Gewürznägelchen:* Gewürznelken.

40,18 *beider Kastilien:* Isabella von Kastilien und Ferdinand von Aragonien, seit 1469 verheiratet, vereinigten 1479 ihre beiden Länder zum Königreich Spanien.

40,30 *Schimpf und Ernst:* rhetorische Anspielung Heines auf den Titel der populären Lehrschwanksammlung »Schimpf und Ernst« von Johannes Pauli (1522). »Schimpf« hier noch in der urspr. Bedeutung von ›Scherz‹.

44,5 *Sidon:* syrische Tempelstadt.

44,5 *Astarte:* syrisch-phönizische Fruchtbarkeits- und Kriegsgöttin. In Palästina war sie (neben Baal) mit ihrem stark sinnlichen Kult die Hauptgottheit.

46,17 *Trekschuite:* Lastkahn, der vom Ufer aus gezogen wurde.

Dokumente zum historischen Kontext

I. Antisemitische Pamphlete

Die folgenden vier Texte stellen einen Abstieg dar von der *scheinbar* sachlich argumentierenden Judenfeindschaft des Berliner Historikers Fridrich Rühs über die im Ton bereits wesentlich schärfere, auf Breitenwirkung bedachte Rezension zu Rühs' Schrift aus der Feder des Heidelberger Philosophen Jakob F. Fries bis zum haßschnaufenden, christlich verbrämten anonymen Flugblatt, das in der »Hep-Hep-Bewegung« zur Gewalt aufruft. Solche Pamphlete ernteten auf primitiver, aber sehr konkreter Ebene die unheilvolle Saat, die pseudowissenschaftliche Autoren wie Rühs und Fries ausstreuten. Das gleiche gilt für Hartwig Hundt-Radowsky, der auf seine Weise eine Bilanz aus der »Hep-Hep-Bewegung« zieht, durch die 1819 in vielen Orten Deutschlands Juden bedroht und mißhandelt wurden und ihr Eigentum verloren.
Eine jüdische Reaktion auf diese Welle von Judenverfolgungen war die Gründung des »Vereins für Kultur und Wissenschaft der Juden« in Berlin. (Vgl. dazu Nachwort S. 70 ff.)

FRIDRICH RÜHS

[...] Eine gründliche und unbefangene Betrachtung der Verhältnisse der Juden in den verschiednen Ländern, wo sie seit ihrer Zerstreuung gewohnt haben, führt zu dem Resultat, daß die Klagen über ungerechten oder unmäßigen Druck im Allgemeinen übertrieben oder ungegründet sind; daß man es den Christen nicht verdenken kann, wenn sie das Verhältniß scharf zu bestimmen suchten, worin sie zu einem Volk stehn wollten, das unter ihnen lebte, und seine Volkseigenthümlichkeit auf's strengste behauptete; daß es überall nur an den Juden selbst gelegen hat, wenn sie sich auf keine andern Gewerbe als blos merkantilische legten, daß sie durch Hindernisse, die tief in ihrer religiösen und bürgerlichen Verfassung gegründet sind, davon zurück gehalten wurden, daß sie endlich überall, wo ihnen irgend eine freie Wirksamkeit verstattet war, dieselbe zum Verderben und Schaden der Nichtjuden gemißbraucht, und dadurch die Abneigung und den Haß derselben genährt und erhöht haben.

Man hat nun seit beinahe 40 Jahren die Frage über die bürgerliche Verbesserung der Juden überall in Anregung gebracht, es ist unläugbar von Seiten mancher Staaten vieles für sie geschehn; aber hat dies Volk als Gesammtheit in dieser Frist auch nur einen einzigen Schritt zum Bessern gethan? Wo sie sich im Aeußern den Christen näherten, haben sie aufgehört, Juden zu seyn; hat man Beispiele daß sie Landbauer, daß sie Handwerker im edleren Sinne des Worts geworden sind, oder daß sie im Grunde durch etwas Würdigeres und Edleres sich ausgezeichnet haben, als durch den Besitz des Geldes, das doch immer der einzige Maßstab geblieben ist, wonach eine jüdische Größe berechnet und beurtheilt wird? An die Spitze von gewissen Fabriken mögen sie sich gestellt und sie auch mit Erfolg und Glück betrieben haben; aber daß es für viele Länder und Städte eben kein Vortheil war, wenn Fabriken in ihnen blühen, und die Handwerker arm sind oder gar auswandern, darüber kann man auch nicht zweifelhaft seyn. Ja es ist auffallend, daß selbst die Freiheiten, die den Juden ertheilt wurden, Veranlassung zu ununterbrochener Fortpflanzung des rohesten Judaismus wurden. [...]

Die Juden können zu Deutschland in keiner andern Beziehung gedacht werden, als in der eines *geduldeten Volks*; sie werden als Schirm- und Schutzgenossen angesehn, und die Forderung, ihnen gleiches Bürgerrecht zu ertheilen, würde in frühern Zeiten geradezu als entschiedener Unsinn erschienen seyn; sie sind Metoiken[1], die zu der eigentlichen Kraft des Volks nichts beitragen, man muß sie zunächst nur unschädlich zu machen suchen, daher würde ein allgemeines bestimmtes Gesetz über die Juden und ihre Verhältnisse zu erlassen seyn, das die Gränzen ihrer Wirksamkeit genau bezeichnete; vor Allem muß festgesetzt werden, daß ihnen in keinem einzelnen Staat Vorrechte oder Gerechtsame bewilligt werden, die den deutschen Einwohnern oder andern Deutschen nachtheilig werden können; Orte und Städte, die das Recht hatten, daß keine Juden in ihnen geduldet werden, müssen von Rechtswegen dabei geschützt und behauptet werden. Es muß ihnen erlaubt seyn, sich auf eine rechtliche Weise auch durch Handel zu ernähren, nur muß dieser einer besonders strengen Vorschrift unterworfen werden, und man muß suchen, durch ein bestimmtes Gesetz allen Mißbräuchen, so viel auf diesem Wege möglich ist, vorzubeugen; man muß ihnen niemals Monopolien, nie Münzgeschäfte, nie Pachtungen von Staatseinkünften u. dgl. übertragen; es muß ein Jude nur dann

1 Ortsansässige Fremde (ohne politische Rechte).

Landgüter erwerben können, wenn er selbst sie bearbeiten will; besonders muß nie ein Jude herrschaftliche oder Patronatrechte über Deutsche erlangen können. Wenn auf diese Weise das Interesse der Deutschen zunächst berücksichtigt ist, kann man sie sich selbst überlassen; es kann ihnen verstattet bleiben, Juden zu seyn; es kann ihnen ein eignes Zeichen, eine Volksschleife, bestimmt werden, wodurch sie sich unterscheiden; sie können sich in ihren Streitigkeiten untereinander eigener Richter nach ihren Gesetzen bedienen; in Fällen aber, wo sie mit Deutschen in Händel verwickelt werden, entscheidet der christliche Richter, natürlich nach den allgemeinen Rechten, und allenfalls mit Rücksicht auf das vorgeschlagene Judengesetz. Wollen Juden sich auf Gewerbe anderer Art als den Handel legen, so muß es ihnen verstattet werden; doch versteht es sich, daß, wo noch Zünfte bestehn, die als eine wesentliche Bedingung der deutschen städtischen Verfassung erhalten und hergestellt werden müssen, diese nicht gezwungen werden können, Juden aufzunehmen. [...]

Fridrich Rühs: Über die Ansprüche der Juden an das deutsche Bürgerrecht. Berlin ²1816. S. 23 f., 33 f.

JAKOB F. FRIES

Ueber die Gefährdung des Wohlstandes und Charakters der Deutschen durch die Juden.

[Rezension von: Ueber die Ansprüche der Juden an das deutsche Bürgerrecht. Zweyter verbesserter und erweiterter Abdruck. Mit einem Anhange über die Geschichte der Juden in Spanien. Von Fridr. Rühs.]

[...] Man verwechselt einen abstracten allgemeinen Ausdruck mit der Wirklichkeit des Einzelnen. So sind hier die Juden mit der Judenschaft, dem Judenthum verwechselt worden. Nicht *den Juden*, unsern Brüdern, sondern der *Judenschaft* erklären wir den Krieg. Wer den Pestkranken liebt, muß der nicht wünschen, daß er von der Pest befreyt werde? Und schmäht der den Pestkranken, der über die Schrecken der Pest klagt und räth, wie man sie vertreibe? Die Judenschaft ist ein Ueberbleibsel aus einer ungebildeten Vorzeit, welches man nicht beschränken, sondern ganz ausrotten soll. Die bürgerliche Lage der *Juden* verbessern heißt eben das *Judenthum*

52

ausrotten, die Gesellschaft prellsüchtiger Trödler und Händler zerstören. Judenschaft ist eine Völkerkrankheit, welche sich in Menge erzeugt und an Macht gewinnt durch Geld, sobald Despotismus oder Noth drückende Steuerverfassungen erzeugt, sobald viele und drückende öffentliche Lieferungen nöthig werden; sobald der Wohlstand der Bürger so gefährdet ist, daß das Schuldenmachen im Kleinen immer weiter einreißt; endlich auch da, wo es viele müssige Reiche gibt, die zu verschwenden anfangen. Deren todt liegende Capitale werden von den Juden gefressen wie das Faulende vom Gewürm, weshalb sie in einer Würtembergischen Verordnung sehr treffend ein zehrendes und fressendes Gewürm benannt werden.

Wem muß es nicht auffallen, daß die meisten Judenkinder so ausgezeichnet schön und geistreich aussehen, und daß doch unter den Erwachsenen nur so sehr wenige einen edeln Ausdruck behalten, indem die schöne Grundgestalt durch einen Ausdruck feiger List verbunden mit dem eines heimlichen geistlichen Hochmuths verunstaltet wird. [. . .]

Dies Unwesen kann nicht ohne schreckliche Gewaltthat zu Ende gehen, wenn unsre Regierungen nicht schnell und mit hoher Kraft dem Uebel steuern. [. . .]

So hat die Judenkaste, wo sie zugelassen wird, auf das ganze Volk, oben wie unten, auf hohe und niedere eine fürchterliche demoralisirende Kraft. Das ist also das wichtigste Moment in dieser Sache, *daß diese Kaste mit Stumpf und Stiel ausgerottet werde, indem sie offenbar unter allen geheimen und öffentlichen politischen Gesellschaften und Staaten im Staat die gefährlichste ist.* [. . .]

In: Heidelbergische Jahrbücher der Litteratur 16
(1816) S. 248 f., 256.

*

Werfe man uns ja nicht vor, daß diese Anforderungen gegen billige Duldsamkeit und das Recht der Gewissensfreyheit verstoßen. Dieses Wesen trifft gar nicht die Freyheit der Religionsmeinungen, sondern die heiligen Angelegenheiten des Rechtes und der sittlichen Volksausbildung. Wir wollen eine Vergleichung anbieten. Vor einigen hundert Jahren war bey uns der Straßenraub ein vornehmes Gewerbe, womit sich ein Theil des Landadels abgab, der sich zu vornehm hielt, um sich mit Wissenschaft und Kunst, Gewerbe oder Handel zu beschäftigen. Die Regierungen lernten einsehen, daß dies rechtslose Rohheit sey, sie verboten dieses Gewerbe, und wo man nicht Folge leistete, zogen die Fürsten aus mit gewaffneter Hand, zerbrachen die Burgen, bestraften die Widerspenstigen und zerstörten das ganze Unwesen. Wie nun, wenn dieser Raubadel damals den Einfall gehabt hätte, sich zu einer eignen Religion zu bekennen, zu sagen, das Gewissen erlaube ihm nicht, mit andern Leuten zu essen und zu trinken, und ein anderes Gewerbe als den Straßenraub zu treiben: hätten sich dadurch die Fürsten sollen abhalten lassen, dem Unwesen zu steuern? Oder hätten sie nicht vielmehr nur noch schärfere Maaßregeln dagegen zu ergreifen gehabt? Ganz ähnlich steht es mit dem jüdischen Handel und ihrer Kastenabsonderung. Raub kann in roher Zeit doch noch einem Mann von Charakter gefallen, weil der Kampf offen ist und Tapferkeit fordert; Prellerey hingegen ist hinterlistig und feige, und daher auch dem rohesten Mann von Kraft verächtlich.

[...] Es ist leider sehr wahr, daß auch viele Reichthümer der Christen durch jüdischen Handel zusammengehäuft worden sind, aber jeder Christ, der so handelt, thut es doch gegen sein Gewissen, oder als ein jüdisch verdorbener Auswurf der christlichen Gesellschaft. Dem Juden hingegen erlaubt nicht nur seine Religion diese Schändlichkeiten, sondern sie lobt ihn noch über ihr Gelingen. Ihre Gesellschaft also ist eine wahre Beschützerin dieses Betruges, der vor ihrer Zerstörung nie aus dem bürgerlichen Leben wird verdrängt werden können.

Aus dem bisher gesagten wird erhellen, daß aus der Natur der Judengesellschaft folge und durch die Geschichte bestätigt werde: die Juden müssen auf eine durchaus unverbesserliche Weise in ihrem widerwärtigen Zustand bleiben, wenn sie nicht aus dem Judenthum heraustreten.

Unendlich wichtig wird es also, unser Volk von dieser Pest zu befreyen! Die Indolenten in unserm Volke antworten freylich: ach was wollt' ihr das alte bekannte Geschrey gegen die Juden erneuern? Das ist so schlimm gar nicht! Lest doch nur Lessings Nathan! Wir aber antworten: Ihr faulen Thoren, wisset ihr wohl, was die Schrift sagt: unsre Väter haben Härlinge gegessen und den Söhnen sind die Zähne stumpf geworden. Ihr kümmert euch nicht um den Weltlauf, nicht um die Geschichte; aber Napoleons Commissarien und Präfecten wußten euch tanzen zu lehren und neue Josephs und Mardochais werden eure Söhne Blut schwitzen lassen.

Vor den Französischen Unordnungen hatte man in vielen Deutschen Ländern, wie in Würtemberg dies zehrende und fressende Gewürm ganz von sich abgehalten, in andern Gegenden sie scharf beschränkt, nur in einigen kleinen Bezirken, wie im Anhaltischen, einigen ritterschaftlichen Orten u. a. hatte man ihnen übermäßige Freyheit gelassen. Von da aus haben sie nun, seitdem der Französische Einfluß die heilsamen Bande sprengte, angefangen, unser ganzes bürgerliches Leben zu durchfressen. [...] Laßt sie nur noch 40 Jahre so wirthschaften und die Söhne der christlichen ersten Häuser mögen sich als Packknechte bey den jüdischen verdingen. [...]

[...] Was sollen wir also wünschen, daß unsre Regierungen in Rücksicht der Judenschaft verfügen mögen?

1. Wir müssen ihre möglichste Verminderung wünschen. Einige allgemeine Verfügungen sind daher leicht anzugeben. Jede Einwanderung von Juden soll verboten, die Auswanderung möglichst begünstigt werden. Ihre Heyrathsfreyheit soll noch mehr als bey den Christen beschränkt werden. Vom Lande sollten sie gänzlich verdrängt werden, weil ihr Einfluß dort gar zu schnell verderblich ist, nur in den Städten sollten sie unter sehr bestimmten Beschränkungen Schutz finden. Diese letzten Bestimmungen könnten aber freylich nach mehreren Jahren für solche, die selbst das Feld bestellen oder eine ordentliche productive Arbeit vornehmen wollen, die also in der That aus der Trödlerkaste getreten sind, aufgehoben werden. Dem sollte möglichst vorgesehen werden, daß kein Christ in persönliche Abhängigkeit von Juden käme. Es sollte verboten werden, daß ein Christ sich irgend zu Juden verdinge, selbst nicht als Sabbathsknecht; man hätte dafür nur alte Verordnungen zu erneuern.

2. Die Schädlichkeit ihrer Religionslehre für sich allein könnte durch ihre bessere Bildung bald gehoben werden, denn in dem Geiste des Menschen lebt nur *eine* Wahrheit der Sittlichkeit und Frömmigkeit. Darin ist hie und da ein lobenswerther Anfang gemacht, aber überall ist noch sehr viel, das meiste zu thun übrig. Sie sollen daher genöthigt werden, ihre Kinder in die öffentlichen *christlichen* Schulen zu schicken; ihre Rabbiner sollen bloß Religionslehrer seyn, daher wie die aller andern Religionspartheyen auf den hohen Schulen classische Bildung suchen; auch einem Examen vor Christen unterworfen werden, und ehe sie eine Lehrstelle antreten, genöthigt seyn, öffentlich zu erklären, daß sie den Infamien des Talmuds nicht anhängen, sondern eine vernünftige Moral der Vaterlandsliebe und allgemeinen Menschenliebe lehren wollen.

3. Der Staat schütze die Juden durchaus nur als Religionsparthey

aber schlechterdings nicht als politischen Verein; er respectire ihr
Rabbinerwesen auf keine Weise; er erlaube ihnen keine Art bürgerli-
cher geselliger Formen (wie z. B. eigne Gerichte), sondern verbiete
ihnen jedes solche Zusammentreten unter den härtesten Strafen.
Sehr gut wäre es indessen freylich, wenn man, so lang die unter 2.
geforderte geistige Annäherung an uns nicht allgemein unter ihnen
weit fortgerückt ist, ihnen, wie auch Rühs anräth, nach alter Sitte
wieder ein Abzeichen in der Kleidung aufnöthigte.
4. Allein das gefährlichste war ihre Verbindung zur Handels-
kaste, gegen diese werden Verbote der eben genannten Art nichts
fruchten, hier muß stärker durchgegriffen werden, aber hier ist
schwer zu rathen, wenn man nicht sehr harte Forderungen machen
will. [...]

In: Heidelbergische Jahrbücher der Litteratur 17
(1816) S. 257–261.

ANONYM

Eine antisemitische Proklamation

Amtliche Abschrift im DZAM, Rep. 77, Abt. I, Tit. XXX, Nr. 4
(1819):
»Brüder in Christo!
Auf, auf, sammelt euch, rüstet euch mit Muth und Kraft gegen deine
Feinde unseres Glaubens, es ist Zeit, das Geschlecht der Christus-
mörder zu unterdrücken, damit sie nicht Herrscher werden über
euch und unsere Nachkommen, denn stolz erhebt schon die Juden
Rotte ihre Häupter und spotten unserer Ehrfurcht, daß wir unsere
Knie beugen für den, den sie gewürgt, darum nieder! nieder mit
ihnen, ehe sie unsere Priester kreutzigen, unsere Heiligthümer
schänden und unsere Tempel zerstören, noch haben wir Macht über
ihnen und die Gewalt ist in unseren Händen, darum laßt uns jetzt ihr
sich selbst gefälltes Urtheil an ihnen vollstrecken, laut dem sie
geschrien: Sein Blut komme über uns und unsere Kinder! Auf, wer
getauft ist, es gilt der heiligsten Sache, fürchtet nichts und zögert
keine Stunde, den Streit für den Glauben offen zu wagen. Diese
Juden, die hier unter uns leben, die sich wie verzehrende Heu-
schrecken unter uns verbreiten, und die das ganze preußische Christentum dem Umsturz drohen, das sind Kinder derer, die da
schrien: kreutzige, kreutzige.

Nun auf zur Rache! unser Kampfgeschrey sey
Hepp! Hepp!! Hepp!!!
Aller Juden Tod und Verderben, Ihr müßt fliehen oder sterben. –«

Zit. nach: Eleonore Sterling: Judenhaß. Die An-
fänge des politischen Antisemitismus in Deutschland (1815–1850). Frankfurt a. M. 1969. S. 171.

HARTWIG HUNDT-RADOWSKY

[. . .] Christ und Jude sind einander abstoßende Pole, sind Metalle ohne Wahlverwandtschaft, bei denen kein Gedanke an Verschmelzung statt findet. Man gebe einem Juden alle sieben Sakramente unter tausenderlei Gestalt, man gebe ihm außer der Wasser-, auch die Feuertaufe; er wird schreien: »au wai, machen sie mich doch kein Schmerz, will ich jo werden recht gern ä Goi!« aber ewig wird er ein Jude bleiben. Man sieht das an allen Israeliten, die zum Christenthume übertraten, sie blieben was sie waren. Ein Jude kann nie besser werden, denn das wenige Gute was an ihm ist, wird schon bei der Beschneidung weggeschnitzt.
Der Plan, die Israeliten mit den Christen zu verschmelzen, war also gewiß eine der lächerlichsten Thorheiten des aufgeklärten achtzehnten Jahrhunderts.
Abrahams Saame hat noch mehr Erbsünden, als Erbgrind; dies wäre das Einzige, was die Christen durch eine Verschmelzung oder Vereinigung mit ihm, gewinnen könnten.
Durch die Rechte, welche man in mehreren Ländern den Israeliten zuwandte, verletzte man die Pflichten gegen die christlichen Staatsbürger. Man legte dadurch den Grund zu der, in vielen Gegenden herrschenden Armuth und Nahrungslosigkeit, indem die Juden allen Handel und alle Gewerbe ihrer christlichen Miteinwohner erstickten; und so gab man Veranlassung zu dem Sittenverderben, welches unter den niedern Ständen sich verbreitete und diesen die gewöhnliche Folge der Nahrungslosigkeit ist. Was soll man aber beginnen mit Abrahams unreinem Saamen?
Hier möchte ich mehrere Vorschläge thun, wodurch die Heppmänner befriedigt, und allem Ungemach der Juden ein Ziel gesetzt würde.
1) Man verkaufe Israels Kinder an die Engländer, welche sie statt der Schwarzen in ihren indischen Pflanzungen vortrefflich gebrauchen könnten.

2) Bekanntlich haben die Juden ein herrliches Spürorgan für alle edeln Metalle und Steine, und würden daher sehr gut zum Bergbau sich passen. Will man sie also den Britten nicht käuflich überlassen, so mache man Bergleute aus ihnen, gebe ihnen aber ja solche Kleider, die weder Taschen noch Unterfutter haben; und versiegele ihnen jedesmal den Mund, damit sie weder Erze, noch Edelgesteine verschlucken und krimpeln können. Um dies noch besser zu hindern, müßte man alle geheime Polizeispione als Wächter und Aufpasser bei den Bergwerken anstellen, dann wäre für die gleichfalls gesorgt.

3) Damit die Juden sich ferner nicht fortpflanzten, könnte man auch Alles, was von ihnen an die Wand p–k–lt, statt es beschneiden, künftig verschneiden lassen.

Ihre Weiber und Töchter wären sehr gut in gewissen weiblichen Erziehungsinstituten, als barmherzige Schwestern zu benutzen. Durch ihren Knoblauch- und Zwiebelgeruch würden sie manchen Ehemann von der Sünde zurückschrecken, und folglich zur Sittlichkeit beitragen.

Am Beßten wäre es jedoch, man reinigte das Land ganz von dem Ungeziefer, und hiezu giebt es gleichfalls zwei Mittel.

Entweder, sie durchaus zu vertilgen, oder sie auch, wie Pharao, die Meininger, Würzburger und Frankfurter es gemacht haben, zum Lande hinausjagen, nur müßte man nicht, wie der König Egyptens, ihnen Gold, Silber und köstliche Geräthe mit auf den Weg geben, sondern was sie an Edelgesteinen, Geld, Staatspapieren und Wechseln etwa hätten, ihnen abnehmen. Dazu sind wir Christen völlig befugt; denn Alles, was die Hebräer besitzen, haben sie uns und andern Völkern gekrimpelt. – Nach der Zerstörung Jerusalems wurden sie Sklaven und Bettler, und erwarben erst später durch ihren Wucher und ihre Gaunereien Alles, was sie jetzt noch besitzen.

Obgleich ich, meines Orts, die Tödtung eines Juden weder für Sünde, noch für ein Verbrechen, sondern blos für Polizeivergehen halte, so werde ich doch nie rathen, sie, wie es jetzt in andern Fällen Mode zu werden scheint, ungehört zu verdammen und zu bestrafen. Wollte man sie also vertilgen, so müßte ein peinliches Gericht niedergesetzt werden, um sie, wegen ihres mehrtausendjährigen Unfugs zu richten, allein eine solche Untersuchung möchte noch mehr kosten, als Varrn-Hastings[2] berüchtigter Prozeß, und

2 Gemeint ist Warren Hastings (1732–1818).

leicht könnte das Urtheil dahin ausfallen: daß sämmtliche Juden mit Gold und Edelgesteinen gespickt, für ihre Bosheiten in flüssigem Silber gekocht werden sollten. Das wäre aber Schade, um die schönen edlen Metalle und Steine, womit unsere Könige und Fürsten ihre Schulden bezahlen, Truppen und Schiffe ausrüsten, Kriege führen, und andere menschenfreundliche und wohlthätige Zwecke erreichen könnten. Am Gerathensten wäre es daher, man brächte die Juden, welche in Deutschland, außer einigen großen und kleinen Herren, wenige Verehrer mehr haben, sämmtlich auf den Schub, und nach dem gelobten Lande hin, wo Milch und Honig innen fleußt und die großen Weintrauben wachsen. Mit einigen tausend Kanonen, könnte man das Ungeziefer über die Türkei bequem fortschüppen, Abrahams Nachkommen würden ihre beschnittenen Halbbrüder, die Ismaeliten gleichfalls weiter schieben, und wir hätten Constantinopel ohne einen Tropfen Christenbluts dann wieder erobert. [. . .]

Hartwig Hundt-Radowsky: Judenspiegel. Ein
Schand- und Sittengemälde alter und neuer Zeit.
Würzburg 1819. S. 142–146.

II. Heinrich Heine: ›Damaskus-Briefe‹

*Lutetia**

Erster Teil

VI.

Paris, 7. Mai 1840.

Die heutigen Pariser Blätter bringen einen Bericht des k. k. österreichischen Konsuls zu Damaskus an den k. k. österreichischen Generalkonsul in Alexandria, in bezug der Damaszener Juden, deren Martyrtum an die dunkelsten Zeiten des Mittelalters erinnert. Während wir in Europa die Märchen desselben als poetischen Stoff bearbeiten und uns an jenen schauerlich naiven Sagen ergötzen, womit unsere Vorfahren sich nicht wenig ängstigten; während bei uns nur noch in Gedichten und Romanen von jenen Hexen, Werwölfen und Juden die Rede ist, die zu ihrem Satansdienst das Blut frommer Christenkinder nötig haben; während wir lachen und

* Urspr. Artikelserie Heines für die Augsburger *Allgemeine Zeitung*.

vergessen, fängt man an im Morgenlande sich sehr betrübsam des alten Aberglaubens zu erinnern und gar ernsthafte Gesichter zu schneiden, Gesichter des düstersten Grimms und der verzweifelnden Todesqual! Unterdessen foltert der Henker, und auf der Marterbank gesteht der Jude, daß er bei dem herannahenden Paschafeste etwas Christenblut brauchte zum Eintunken für seine trockenen Osterbröde, und daß er zu diesem Behufe einen alten Kapuziner abgeschlachtet habe! Der Türke ist dumm und schnöde, und stellt gern seine Bastonnaden- und Torturapparate[3] zur Verfügung der Christen gegen die angeklagten Juden; denn beide Sekten sind ihm verhaßt, er betrachtet sie beide wie Hunde, er nennt sie auch mit diesem Ehrennamen, und er freut sich gewiß, wenn der christliche Giaur[4] ihm Gelegenheit gibt, mit einigem Anschein von Recht den jüdischen Giaur zu mißhandeln. Wartet nur, wenn es mal des Paschas Vorteil sein wird und er nicht mehr den bewaffneten Einfluß der Europäer zu fürchten braucht, wird er auch dem beschnittenen Hunde Gehör schenken, und dieser wird unsere christlichen Brüder anklagen, Gott weiß wessen! Heute Amboß, morgen Hammer! –

Aber für den Freund der Menschheit wird dergleichen immer ein Herzeleid sein. Erscheinungen dieser Art sind ein Unglück, dessen Folgen unberechenbar. Der Fanatismus ist ein ansteckendes Übel, das sich unter den verschiedensten Formen verbreitet, und am Ende gegen uns alle wütet. Der französische Konsul in Damaskus, der Graf Ratti-Menton, hat sich Dinge zuschulden kommen lassen, die hier einen allgemeinen Schrei des Entsetzens erregten. Er ist es, welcher den okzidentalischen Aberglauben dem Orient einimpfte, und unter dem Pöbel von Damaskus eine Schrift austeilte, worin die Juden des Christenmords bezüchtigt werden. Diese haßschnaufende Schrift, die der Graf Menton von seinen geistlichen Freunden zum Behufe der Verbreitung empfangen hatte, ist ursprünglich der »Bibliotheca prompta a Lucio Ferrario« entlehnt, und es wird darin ganz bestimmt behauptet, daß die Juden zur Feier ihres Paschafestes des Blutes der Christen bedürften. Der edle Graf hütete sich, die damit verbundene Sage des Mittelalters zu wiederholen, daß nämlich die Juden zu demselben Zwecke auch konsakrierte Hostien stehlen und mit Nadeln so lange stechen, bis das Blut herausfließe – eine Untat, die im Mittelalter nicht bloß durch beeidigte Zeugenaussa-

3 Prügel- und Folterwerkzeuge.
4 Ungläubiger, Nichtmohammedaner.

gen, sondern auch dadurch ans Tageslicht gekommen, daß über dem Judenhause, worin eine jener gestohlenen Hostien gekreuzigt worden, sich ein lichter Schein verbreitete. Nein, die Ungläubigen, die Muhamedaner, hätten dergleichen nimmermehr geglaubt, und der Graf Menton mußte, im Interesse seiner Sendung, zu weniger mirakulösen Historien seine Zuflucht nehmen. Ich sage im Interesse seiner Sendung, und überlasse diese Worte dem weitesten Nachdenken. Der Graf ist erst seit kurzer Zeit in Damaskus; vor sechs Monaten sah man ihn hier in Paris, der Werkstätte aller progressiven, aber auch aller retrograden Verbrüderungen. – Der hiesige Minister der auswärtigen Angelegenheiten, Herr Thiers, der sich jüngst nicht bloß als Mann der Humanität, sondern sogar als Sohn der Revolution geltend zu machen suchte, offenbart bei Gelegenheit der Damaszener Vorgänge eine befremdliche Lauheit. Nach dem heutigen »Moniteur« soll bereits ein *Vizekonsul* nach Damaskus abgegangen sein, um das Betragen des dortigen französischen *Konsuls* zu untersuchen. Ein Vizekonsul! Gewiß eine untergeordnete Person aus einer nachbarlichen Landschaft, ohne Namen und ohne Bürgschaft parteiloser Unabhängigkeit! [...]

IX.

Paris, 27. Mai 1840.

Über die Blutfrage von Damaskus haben norddeutsche Blätter mehre Mitteilungen geliefert, welche teils von Paris, teils von Leipzig datiert, aber wohl aus derselben Feder geflossen sind, und, im Interesse einer gewissen Clique, das Urteil des deutschen Publikums irreleiten sollen. Wir lassen die Persönlichkeit und die Motive jenes Berichterstatters unbeleuchtet, enthalten uns auch aller Untersuchung der Damaszener Vorgänge; nur über das, was in Beziehung derselben von den hiesigen Juden und der hiesigen Presse gesagt würde, erlauben wir uns einige berichtigende Bemerkungen. Aber auch bei dieser Aufgabe leitet uns mehr das Interesse der Wahrheit als der Personen; und was gar die hiesigen Juden betrifft, so ist es möglich, daß unser Zeugnis eher gegen sie als für sie spräche. – Wahrlich, wir würden die Juden von Paris eher loben als tadeln, wenn sie, wie die erwähnten norddeutschen Blätter meldeten, für ihre unglücklichen Glaubensbrüder in Damaskus einen so großen Eifer an den Tag legten und zur Ehrenrettung ihrer verleumdeten Religion keine Geldopfer scheuten. Aber es ist nicht der Fall. Die

Juden in Frankreich sind schon zu lange emanzipiert,[5] als daß die Stammesbande nicht sehr gelockert wären, sie sind fast ganz untergegangen, oder, besser gesagt, aufgegangen in der französischen Nationalität; sie sind gerade ebensolche Franzosen wie die andern, und haben also auch Anwandlungen von Enthusiasmus, die vierundzwanzig Stunden, und, wenn die Sonne heiß ist, sogar drei Tage dauern![6] – und das gilt von den Bessern. Viele unter ihnen üben noch den jüdischen Zeremonialdienst, den äußerlichen Kultus, mechanisch, ohne zu wissen warum, aus alter Gewohnheit; von innerm Glauben keine Spur, denn in der Synagoge ebenso wie in der christlichen Kirche hat die witzige Säure der Voltaireschen Kritik zerstörend gewirkt. Bei den französischen Juden, wie bei den übrigen Franzosen, ist das Gold der Gott des Tages und die Industrie ist die herrschende Religion. In dieser Beziehung dürfte man die hiesigen Juden in zwei Sekten einteilen: in die Sekte der rive droite und die Sekte der rive gauche; diese Namen haben nämlich Bezug auf die beiden Eisenbahnen, welche, die eine längs dem rechten Seine-Ufer, die andere dem linken Ufer entlang, nach Versailles führen, und von zwei berühmten Finanzrabbinen geleitet werden, die miteinander ebenso divergierend hadern, wie einst Rabbi Samai und Rabbi Hillel in der ältern Stadt Babylon.

Wir müssen dem Großrabbi der rive droite, dem Baron Rothschild, die Gerechtigkeit widerfahren lassen, daß er für das Haus Israel eine edlere Sympathie an den Tag legte, als sein schriftgelehrter Antagonist, der Großrabbi der rive gauche, Herr Benoit Fould, der, während in Syrien, auf Anreizung eines französischen Konsuls, seine Glaubensbrüder gefoltert und gewürgt wurden, mit der unerschütterlichen Seelenruhe eines Hillel, in der französischen Deputiertenkammer einige schöne Reden hielt über die Konversion der Renten und den Diskonto der Bank.

Das Interesse, welches die hiesigen Juden an der Tragödie von Damaskus nahmen, reduziert sich auf sehr geringfügige Manifestationen. Das israelitische Konsistorium, in der lauen Weise aller Körperschaften, versammelte sich und deliberierte; das einzige Resultat dieser Deliberationen war die Meinung, daß man die Aktenstücke des Prozesses zur öffentlichen Kunde bringen müsse. Herr Cremieux, der berühmte Advokat, welcher nicht bloß den Juden, sondern den Unterdrückten aller Konfessionen und aller

5 Sie erhielten 1791 das Bürgerrecht.
6 Anspielung auf die Julirevolution vom 27. bis 29. Juli 1830 in Paris.

62

Doktrinen, zu jeder Zeit seine großmütige Beredsamkeit gewidmet, unterzog sich der oben erwähnten Publikation, und, mit Ausnahme einer schönen Frau[7] und einiger jungen Gelehrten, ist wohl Herr Cremieux der einzige in Paris, der sich der Sache Israels tätig annahm. Mit der größten Aufopferung seiner persönlichen Interessen, mit Verachtung jeder lauernden Hinterlist, trat er den gehässigsten Insinuationen[8] rücksichtslos entgegen, und erbot sich sogar nach Ägypten zu reisen, wenn dort der Prozeß der Damaszener Juden vor das Tribunal des Pascha Mehemet Ali gezogen werden sollte. [...]

XI

Paris, 3. Juni 1840.

[...] Hier [in den französischen Zeitungen] herrscht die strengste Disziplin des Gedankens und sogar des Ausdrucks. Hat irgendein unachtsamer Mitarbeiter das Kommando überhört, hat er nicht ganz so geschrieben wie die Consigne[9] lautete, so schneidet der Redakteur en chef ins Fleisch seines Aufsatzes mit einer militärischen Unbarmherzigkeit, wie sie bei keinem deutschen Zensor zu finden wäre. Ein deutscher Zensor ist ja auch ein Deutscher, und bei seiner gemütlichen Vielseitigkeit gibt er gern vernünftigen Gründen Gehör; aber der Redakteur en chef eines französischen Journals ist ein praktisch einseitiger Franzose, hat seine bestimmte Meinung, die er sich ein für allemal mit bestimmten Worten formuliert hat, oder die ihm wohlformuliert von seinen Kommittenten überliefert worden. Käme nun gar jemand zu ihm und brächte ihm einen Aufsatz, der zu den erwähnten Zwecken seines Journals in keiner fördernden Beziehung stände, der etwa ein Thema behandelte, das kein unmittelbares Interesse hätte für das Publikum, dem das Blatt als Organ dient, so wird der Aufsatz streng zurückgewiesen, mit den sakramentalen Worten: »Cela n'entre pas dans l'idée de notre journal.«[10] Da nun solchermaßen von den hiesigen Journalen jedes seine besondre politische Farbe und seinen bestimmten Ideenkreis hat, so ist leicht begreiflich, daß jemand, der etwas zu sagen hätte, was diesen Ideenkreis überschritte und auch keine Parteifarbe trüge, durchaus kein Organ für seine Mitteilungen finden würde. Ja,

7 Betty von Rothschild.
8 Unterstellungen.
9 Weisung.
10 »Das paßt nicht zur Richtung unserer Zeitung.«

sobald man sich entfernt von der Diskussion der Tagesinteressen, den sogenannten Aktualitäten, sobald man Ideen zu entwickeln hat, die den banalen Parteifragen fremd sind, sobald man etwa nur die Sache der Menschheit besprechen wollte, würden die Redakteure der hiesigen Journale einen solchen Artikel mit ironischer Höflichkeit zurückweisen; und da man hier nur durch die Journale oder durch ihre annoncierende Vermittlung mit dem Publikum reden kann, so ist die Charte[11], die jedem Franzosen die Veröffentlichung seiner Gedanken durch den Druck erlaubt, eine bittere Verhöhnung für geniale Denker und Weltbürger, und faktisch existiert für diese durchaus keine Preßfreiheit: – »cela n'entre pas dans l'idée de notre journal.«

Vorstehende Andeutungen befördern vielleicht das Verständnis mancher unbegreiflichen Erscheinungen, und ich überlasse es dem deutschen Leser, allerlei nützliche Belehrung daraus zu schöpfen. Zunächst aber mögen sie zur Aufklärung dienen, weshalb die französische Presse in betreff der Juden von Damaskus nicht so unbedingt sich zugunsten derselben aussprach, wie man gewiß in Deutschland erwartete. Ja, der Berichterstatter der »Leipziger Zeitung« und der kleineren norddeutschen Blätter hat sich keine direkte Unwahrheit zu schulden kommen lassen, wenn er frohlockend referierte, daß die französische Presse bei dieser Gelegenheit keine sonderliche Sympathie für Israel an den Tag legte. Aber die ehrliche Seele hütete sich wohlweislich, den Grund dieser Erscheinung aufzudecken, der ganz einfach darin besteht, daß der Präsident des Ministerkonseils, Herr Thiers, von Anfang an für den Grafen Ratti-Menton, den französischen Konsul von Damaskus, Partei genommen und den Redakteuren aller Blätter, die jetzt unter seiner Botmäßigkeit stehen, in dieser Angelegenheit seine Ansicht kundgegeben. Es sind gewiß viele honette und sehr honette Leute unter diesen Journalisten, aber sie gehorchen jetzt mit militärischer Disziplin dem Kommando jenes Generalissimus der öffentlichen Meinung, in dessen Vorkabinett sie sich jeden Morgen zum Empfang der Ordre du jour zusammen befinden und gewiß ohne Lachen sich einander nicht ansehen können; französische Haruspices[12] können ihre Lachmuskeln nicht so gut beherrschen, wie die römischen, von denen Cicero spricht. In seinen Morgenaudienzen versichert Herr Thiers

11 Name der Verfassung Ludwigs XVIII. (1814). Sie wurde 1830 abgeändert und blieb bis 1848 in Kraft.
12 Haruspex: etruskischer und römischer Priester, der aus den Eingeweiden der Opfertiere weissagte.

64

mit der Miene der höchsten Überzeugung, es sei eine ausgemachte Sache, daß die Juden Christenblut am Paschafeste söffen, chacun à son goût, alle Zeugenaussagen hätten bestätigt, daß der Rabbiner von Damaskus den Pater Thomas[13] abgeschlachtet und sein Blut getrunken, – das Fleisch sei wahrscheinlich von geringern Synagogenbeamten verschmaust worden; – da sähen wir einen traurigen Aberglauben, einen religiösen Fanatismus, der noch im Oriente herrschend sei, während die Juden des Okzidentes viel humaner und aufgeklärter geworden und mancher unter ihnen sich durch Vorurteilslosigkeit und einen gebildeten Geschmack auszeichne, z. B. Herr von Rothschild, der zwar nicht zur christlichen Kirche aber desto eifriger zur christlichen Küche übergegangen und den größten Koch der Christenheit, den Liebling Talleyrands, ehemaligen Bischofs von Autun, in Dienst genommen. – So ungefähr konnte man den Sohn der Revolution reden hören, zum größten Ärger seiner Frau Mutter, die manchmal rot vor Zorn wird, wenn sie dergleichen von dem ungeratenen Sohne anhören muß, oder wenn sie gar sieht, wie derselbe mit ihren ärgsten Feinden verkehrt, z. B. mit dem Grafen Montalembert, einem Jungjesuiten, der als das tätigste Werkzeug der ultramontanen Rotte bekannt ist. Dieser Anführer der sogenannten Neokatholiken dirigiert die Zeloten-Zeitung[14] »L'Univers«, ein Blatt, welches mit ebensoviel Geist wie Perfidie geschrieben wird; auch der Graf besitzt Geist und Talent, ist jedoch ein seltsames Zwitterwesen von adeligem Hochmut und romantischer Bigotterie, und diese Mischung offenbart sich am naivsten in seiner Legende von der heiligen Elisabeth, einer ungarischen Prinzessin, die er en parenthèse für seine Cousine erklärt, und die von so schrecklich christlicher Demut gewesen sein soll, daß sie mit ihrer frommen Zunge den räudigsten Bettlern die Schwären und den Grind leckte, ja daß sie vor lauter Frömmigkeit sogar ihren eignen Urin soff.

Nach diesen Andeutungen begreift man jetzt sehr leicht die illiberale Sprache jener Oppositionsblätter, die zu einer andern Zeit Mord und Zeter geschrien hätten über den im Orient neu angefachten Fanatismus, und über den Elenden, der als französischer Konsul dort den Namen Frankreichs schändet.

Vor einigen Tagen hat Herr Benoit Fould auch in der Deputierten-kammer das Betragen des französischen Konsuls von Damaskus zur

13 Die unaufgeklärte Ermordung dieses Kapuziners war Anlaß zur Judenverfolgung in Damaskus.
14 Zeloten: Eiferer, Fanatiker.

Sprache gebracht. Ich muß also zunächst den Tadel zurücknehmen, der mir in einem meiner jüngsten Berichte gegen jenen Deputierten entschlüpfte. Ich zweifelte nie an dem Geist, an den Verstandeskräften des Herrn Fould; auch ich halte ihn für eine der größten Kapazitäten der französischen Kammer; aber ich zweifelte an seinem Gemüte. Wie gern lasse ich mich beschämen, wenn ich den Leuten unrecht getan habe und sie durch die Tat meinen Beschuldigungen widersprechen. Die Interpellation des Herrn Fould zeugte von großer Klugheit und Würde. Nur sehr wenige Blätter haben von seiner Rede Auszüge gegeben; die ministeriellen Blätter haben auch diese unterdrückt und die Thiersschen Entgegnungen desto ausführlicher mitgeteilt. Im »Moniteur« habe ich sie ganz gelesen. Der Ausdruck: »La religion à laquelle j'ai l'honneur d'appartenir«[15] mußte einen Deutschen sehr frappieren. Die Antwort des Herrn Thiers war ein Meisterstück von Perfidie: durch Ausweichen, durch Verschweigen dessen, was er wisse, durch scheinbar ängstliche Zurückhaltung, wußte er seine Gegner aufs köstlichste zu verdächtigen. Hörte man ihn reden, so konnte man am Ende wirklich glauben, das Leibgericht der Juden sei Kapuzinerfleisch. – Aber nein, großer Geschichtschreiber und sehr kleiner Theolog, im Morgenland ebensowenig wie im Abendland erlaubt das alte Testament seinen Bekennern solche schmutzige Atzung, der Abscheu der Juden vor jedem Blutgenuß ist ihnen ganz eigentümlich, er spricht sich aus in den ersten Dogmen ihrer Religion, in allen ihren Sanitätsgesetzen, in ihren Reinigungszeremonien, in ihrer Grundanschauung vom Reinen und Unreinen, in dieser tiefsinnig kosmogonischen Offenbarung über die materielle Reinheit in der Tierwelt, welche gleichsam eine physische Ethik bildet und von Paulus, der sie als eine Fabel verwarf, keineswegs begriffen worden. – Nein, die Nachkömmlinge Israels, des reinen auserlesenen Priestervolks, sie essen kein Schweinefleisch, auch keine alte Franziskaner, sie trinken kein Blut, ebensowenig wie sie ihren eigenen Urin trinken, gleich der heiligen Elisabeth, Urmuhme des Grafen Montalembert. [...]

XIV.

Paris, den 25. Juli 1840.

[...] Das alte System der Völkervertilgung wird solchermaßen, durch europäischen Einfluß, im Orient allmählich verdrängt. Auch

15 »Die Religion, der ich die Ehre habe anzugehören«.

die Existenzrechte des Individuums gelangen dort zu höherer Anerkennung, und namentlich werden die Grausamkeiten der Tortur einem mildern Kriminalverfahren weichen. Es ist die Blutgeschichte von Damaskus, welche dieses letztere Resultat hervorbringen wird, und in dieser Beziehung dürfte die Reise des Herrn Cremieux nach Alexandria als eine wichtige Begebenheit eingezeichnet werden in die Annalen der Humanität. Dieser berühmte Rechtsgelehrte, der zu den gefeiertsten Männern Frankreichs gehört und den ich in diesen Blättern bereits besprach, hat schon seine wahrhaft fromme Wallfahrt angetreten, begleitet von seiner Gattin, die alle Gefahren, womit man ihren Mann bedrohte, teilen wollte. Mögen diese Gefahren, die ihn vielleicht nur abschrecken sollten von seinem edlen Beginnen, ebenso klein sein wie die Leute, die sie bereiten! In der Tat, dieser Advokat der Juden plädiert zugleich die Sache der ganzen Menschheit. Um nichts Geringeres handelt es sich, als auch im Orient das europäische Verfahren beim Kriminalprozeß einzuführen. Der Prozeß gegen die Damaszener Juden begann mit der Folter; er kam nicht zu Ende, weil ein österreichischer Untertan inkulpiert[16] war und der österreichische Konsul gegen das Torquieren[17] desselben einschritt. Jetzt soll nun der Prozeß aufs neue instruiert werden, und zwar ohne obligate Folter, ohne jene Torturinstrumente, die den Beklagten die unsinnigsten Aussagen abmarterten und die Zeugen einschüchterten. Der französische Oberkonsul in Alexandria setzt Himmel und Erde in Bewegung, um diese erneuete Instruktion des Prozesses zu hintertreiben; denn das Betragen des französischen Konsuls von Damaskus könnte bei dieser Gelegenheit sehr stark beleuchtet werden, und die Schande seines Repräsentanten dürfte das Ansehen Frankreichs in Syrien erschüttern. [...] Es handelt sich jetzt wahrlich nicht um die hohe Tugend eines Ratti-Menton oder um die Schlechtigkeit der Damaszener Juden – es gibt vielleicht zwischen beiden keinen großen Unterschied, und wie jener für unsern Haß, so dürften letztere für unsre Vorliebe zu gering sein – aber es handelt sich darum: die Abschaffung der Tortur durch ein eklatantes Beispiel im Orient zu sanktionieren.

Heinrich Heine: Sämtliche Werke. Hrsg. von Oskar Walzel. Bd. 9. Leipzig: Insel Verlag, 1910. S. 48–93.

16 angeklagt.
17 Foltern.

Literaturhinweise

Heines wichtigste Quellen

Jacques Basnage: Histoire de la religion des juifs depuis Jésus Christ jusqu'à présent. 15 Bde. Rotterdam 1707.

Jean-Philippe Baratier: Voyages de Rabbi Benjamin, fils de Jona de Tudèle, en Europe, en Asie, et en Afrique, depuis l'Espagne jusqu'à la Chine, où l'on trouve plusieurs choses remarquables concernant l'histoire et la géographie et particulièrement l'état des Juifs au douzième siècle. Traduits de l'Hebreu et enrichis de notes et de dissertations historiques et critiques sur ces voyages par J.-P. B. Amsterdam 1734.

Anton Kirchner: Geschichte der Stadt Frankfurt am Main. 2 Bde. Frankfurt a. M. 1807–10.

Achilles Augustus von Lersner: Der Weit-beruehmten Freyen Reichs- Wahl- und Handels-Stadt Franckfurt am Main Chronica [. . .]. 2 Bde. Frankfurt a. M. 1706–34.

Limburger Chronik. [Handschriftlich im frühen 15. Jahrhundert von einem aus Wolfhagen in Niederhessen stammenden Notar und Stadtschreiber namens Tilemann Elhen in Limburg an der Lahn verfaßt. Heine benutzte eine von G. E. Winkler besorgte Ausgabe Wetzlar 1720.]

Johannes Henricus Majus: Don Isaaci Abrabanelis Maschmija Jeschuah [. . .]. Frankfurt a. M. 1711.

Aloys Schreiber: Handbuch für Reisende am Rhein. Heidelberg ³1822.

Johann Jacob Schudt: Jüdische Merckwürdigkeiten [. . .]. 3 Tle. und Continuatio (Tl. 4). Frankfurt a. M. / Leipzig 1714–17.

Zum »Rabbi von Bacherach«

Feldmann, Rainer: »Der Rabbi von Bacharach.« Geschichtsverständnis, Jude und Judentum im Romanfragment Heinrich Heines. Paderborn 1984.

Feuchtwanger, Lion: Heinrich Heines »Rabbi von Bacherach«. Eine kritische Studie. München 1907.

Finke, Franz: Zur Datierung des »Rabbi von Bacherach«. In: Heine-Jahrbuch 4 (1965) S. 26–32.

Höhn, Gerhard: Heine-Handbuch. Zeit, Person, Werk. Stuttgart 1987.

Jacobi, Ruth L.: Heinrich Heines jüdisches Erbe. Bonn 1978.

Karpeles, Gustav: Heinrich Heine und der »Rabbi von Bacharach«. Wien 1895.

Kimoto, Kingo / Kiba, Hiroshi: Die Quellen von Heines »Rabbi von Bacherach« I. In: Heine-Studien III. Hrsg. von Kenzo und Kazuko Suzuki. Tokio 1980. S. 168–233. [Deutsche Zusammenfassung S. 399–401.]

Kircher, Hartmut: »Wie schlecht geschützt ist Israel . . .« Zur Szene am Frankfurter Ghetto-Tor in Heines »Rabbi von Bacherach«. In: Heine-Jahrbuch 11 (1972) S. 38–55.

– Heinrich Heine und das Judentum. Bonn 1973.

– Heinrich Heine: Der Rabbi von Bacherach (1840). In: Paul Michael Lützeler (Hrsg.): Romane und Erzählungen zwischen Romantik und Realismus. Stuttgart 1983. S. 295–313.

Lasher-Schlitt, Dorothy: Heine's unresolved conflict and »Der Rabbi von Bacherach«. In: Germanic Review 27 (1952) S. 174–187.

Loewenthal, Erich: Der Rabbi von Bacherach: In: Heine-Jahrbuch 3 (1964) S. 3–16.

Prawer, S. S.: Heine's Jewish Comedy. A Study of his Portraits of Jews and Judaism. Oxford 1983.

Rose, Margaret A.: Über die strukturelle Einheit von Heines Fragment »Der Rabbi von Bacherach«. In: Heine-Jahrbuch 15 (1976) S. 38–51.

Rose, William: Heine's Jewish Feeling. In: W. R.: Heinrich Heine. Two Studies of his Thought and Feeling. Oxford 1956. S. 94–156.

Rosenthal, Ludwig: Einige Glossen zu dem Notizblatt Heines für den »Rabbi von Bacharach« mit der Überschrift »Vita Abarbanelis« im Heine-Archiv in Düsseldorf. In: Heine-Jahrbuch 10 (1971) S. 20–25.

– Heinrich Heine als Jude. Berlin 1973.

Sammons, Jeffrey L.: Heine's »Rabbi von Bacherach«: the unresolved tensions. In: German Quarterly 37 (1964) S. 26–38.

Simon, Ernst: Der gelbe Fleck. Zu Heines »Rabbi von Bacharach«. In: Jüdische Rundschau. Jg. 39. Nr. 18 (1934) S. 12.

Stephens, Anthony: Von Schwellen und deren Überschreitung. Heines »Der Rabbi von Bacherach«. In: Studien zur Literatur des Frührealismus. Hrsg. von Günter Blamberger, Manfred Engel und Monika Ritzer. Frankfurt a. M. 1991. S. 192–222.

Tabak, Israel: Judaic Lore in Heine. The Heritage of a Poet. Baltimore 1948.

Nachwort

I

Als Heine Anfang Mai 1824 nach einem dreiwöchigen Berlin-Aufenthalt wieder in seinen Studienort Göttingen zurückgekehrt war, brachte er »viele geistige Anregung und Erfrischung«[1] mit. Das hatte weniger mit seinem »juristischen Strohdreschen«[2] vor dem nicht mehr allzu fernen Examen zu tun, als vielmehr mit neuen poetischen Plänen.

Heine hatte alte Freunde und Bekannte in der Hauptstadt besucht, und unter anderem auch wieder an einigen Zusammenkünften des »Vereins für Kultur und Wissenschaft der Juden« teilgenommen. Diesem Verein war er zwei Jahre zuvor, als er noch in Berlin studierte, beigetreten, um sich aktiv für eine Verbesserung der inneren und äußeren Situation der Juden zu engagieren. Er hatte lange versucht, in einer judenfeindlichen Gesellschaft seine eigene jüdische Herkunft zu verbergen. Als dies nicht mehr möglich gewesen war, wollte er sich nicht länger ausschließlich defensiv verhalten. Denn obwohl er in religiöser Hinsicht dem Judentum (wie dem Christentum) ablehnend gegenüberstand, fühlte er sich mit betroffen, wenn Juden verfolgt oder diskriminiert wurden.

Der Verein war 1819 von einigen jungen jüdischen Intellektuellen als Reaktion auf die grassierende Judenfeindlichkeit gegründet worden. In jenem Jahr war die sogenannte »Hep-Hep-Bewegung« über große Teile Deutschlands hinweggegangen. Mit Parolen wie »Hep, hep, Jud verreck'« hatte aufgewiegelter Pöbel vielerorten Juden bedroht und miß-

---

1 Heinrich Heine: Säkularausgabe. Werke. Briefwechsel. Lebenszeugnisse. Hrsg. von den Nationalen Forschungs- und Gedenkstätten der klassischen deutschen Literatur in Weimar und dem Centre National de Recherche Scientifique in Paris. Bd. 20–27: Briefe 1815–1831. Bearb. von Fritz H. Eisner. Berlin/Paris 1970, Bd. 20. S. 159.
2 Ebd. S. 154 f.

handelt und jüdisches Eigentum zerstört. Unerträgliche antisemitische Pamphlete waren in Umlauf, teils anonym und in selbstentlarvend primitiver Form, teils auch solche aus der pseudowissenschaftlichen Feder von Professoren. In ihrer Wirkung waren sie gleichermaßen verheerend. Vokabeln wie »Ungeziefer« oder »ausrotten« wurden gebraucht, das Tragen eines gelben Flecks als Unterscheidungszeichen für Juden (wie zeitweilig im Mittelalter) erneut gefordert. Die Juden waren wieder einmal der Sündenbock, dem man die Schuld für wirtschaftliche Not, private Bedrängnis oder öffentliche Mißstände zuschob. Irrationalismus, Aberglaube und Unkenntnis gingen eine unheilvolle Verbindung ein. (Vgl. dazu S. 50–59.)

Dem wollte der »Berliner Kulturverein« entgegentreten. Zum einen, indem er durch Aufklärungsarbeit versuchte, die allgemeine Unkenntnis über Juden und alles Jüdische zu verringern, zum anderen, um die Juden, die erst wenige Jahrzehnte zuvor die Ghettomauern durchbrochen hatten, aus ihrer historisch gewachsenen, teils erzwungenen und teils auch selbstgewollten Isolation herauszuführen, sie mit ihrer christlich-deutschen Umwelt vertraut zu machen, ihnen bei der Assimilation zu helfen. Der religiöse Aspekt wurde bewußt hintangestellt.

Die Vereinsgründer, unter denen vor allem der Rechtsgelehrte Eduard Gans, ein Hegel-Schüler, und Leopold Zunz, der Begründer der Wissenschaft vom Judentum, hervorzuheben sind, waren Männer, die an der deutschen Kultur teilhaben wollten und von den Ideen ihrer Zeit durchdrungen waren. Einen Anspruch auf eine jüdische Sonderstellung hielten sie ebenso für überholt wie jede Unterdrückung andersdenkender Minderheiten. Sie warben um Toleranz und bemühten sich zugleich um Akkulturation der Juden.

Das Programm für diese »Judenreformation«[3], wie der Sekretär des Vereins und engste Vertraute Heines, Moses Moser, sie nannte, wurde 1822 in den Statuten des Vereins

3 Zit. nach: Hanns Günther Reissner: Eduard Gans. Ein Leben im Vormärz. Tübingen 1965. S. 51.

formuliert: »Das Mißverhältnis des ganzen innern Zustandes der Juden zu ihrer äußeren Stellung unter den Nationen, seit vielen Jahrhunderten bestehend, aber stärker als je hervortretend in der neueren Zeit, welche durch einen allgewaltigen Ideenumschwung auch unter den Juden überall veränderte Bestrebungen hervorrief, die das drückende Gefühl des Widerspruchs täglich allgemeiner machen, fordert dringend eine gänzliche Umarbeitung der bis jetzt unter den Juden bestandenen eigenthümlichen Bildung und Lebensbestimmung, und ein Hinführen derselben auf denjenigen Standpunkt, zu welchem die übrige europäische Welt gelangt ist. [...] Für diese Zwecke wirksam zu sein, beabsichtigt der Verein, welcher sonach vorstellt: eine Verbindung derjenigen Männer, welche in sich Kraft und Beruf zu diesem Unternehmen fühlen, um die Juden durch einen von innen heraus sich entwickelnden Bildungsgang mit dem Zeitalter und den Staaten, in denen sie leben, in Harmonie zu setzen. [...] Auf der einen Seite wird also Alles, was dazu dienen kann, das Reich der Intelligenz zu vergrößern, benutzt werden, als Errichtung von Schulen, Seminarien, Akademien, thätige Beförderung schriftstellerischer oder anderer öffentlicher Arbeiten jeglicher Art; auf der andern Seite soll aber auch durch Hinleitung der aufblühenden Generation zu Gewerben, Künsten, Ackerbau und wissenschaftlichen Ausübungen, und durch Unterdrückung der einseitigen Neigung zum Handel, sowie durch Umarbeitung des Tons und der geselligen Verhältnisse, allmählich jede dem Ganzen widerstrebende Eigenthümlichkeit bezwungen werden.«[4]

Heine identifizierte sich weitgehend mit diesen Zielen (bei gleichzeitiger Ablehnung religiöser Reformen) und fühlte sich recht wohl im Kreise dieser idealistischen Intellektuellen. Sein praktischer Beitrag bestand, solange er in Berlin war, in regelmäßiger Lehrtätigkeit in der »Unterrichtsanstalt« des Vereins in den Fächern Deutsch, Geschichte und

4 Zit. nach: Adolf Strodtmann: H. Heine's Leben und Werke. Berlin 1867. Bd. 1. S. 246 f.

72

Französisch. Er ließ sich zum Vizesekretär des »Wissenschaftlichen Instituts« wählen und plante für die von Leopold Zunz herausgegebene *Zeitschrift für die Wissenschaft des Judentums* einen Aufsatz über »den großen Judenschmerz«[5] (den Ausdruck übernahm er von Ludwig Börne). Zur Ausführung kam es allerdings nicht. Seine eigentliche Leistung im Rahmen dieses Vereins wollte Heine, auch nach seiner Übersiedlung nach Göttingen, als *jüdischer Dichter*[6] erbringen. Diese von ihm selbst gebrauchte Formulierung ist natürlich nicht sprachlich, sondern thematisch zu verstehen und soll vor allem auch auf seine damalige Motivation als Schriftsteller hinweisen.

Die »viele geistige Anregung«, von der eingangs die Rede war, drängte vornehmlich den »jüdischen Dichter« in Heine zu einem dichterischen Werk über »den großen Judenschmerz«. Am 12./13. April 1824 hatte er zusammen mit seinen Freunden in Berlin an einem der Seder-Abende des jüdischen Passahfestes teilgenommen, und sehr wahrscheinlich faßte er unter diesem Eindruck den Plan zu seinem *Rabbi von Bacherach*, der ja im ersten Kapitel die ausführliche Schilderung einer solchen Feier enthält. Wenige Wochen nach der Rückkehr nach Göttingen berichtete er in einem Brief, er arbeite »jetzt an einer großen Novelle«, und er fügte gleich hinzu, daß sie ihm »sehr sauer«[7] werde. Diesen Zusatz könnte man als leitmotivisch für die Entstehungsgeschichte des *Rabbi von Bacherach* betrachten, wie sie sich an Heines brieflichen Äußerungen ablesen läßt.

Zunächst vertiefte er sich in das Studium der jüdischen Geschichte, wofür ihm Moses Moser mancherlei Materialien besorgte und Leopold Zunz viele wertvolle Hinweise geben konnte. Besonders mit dem Standardwerk *Histoire de la religion des Juifs depuis Jésus-Christ jusqu'à présent* von Jacques Basnage beschäftigte sich Heine intensiv, so oft seine mitunter heftigen Kopfschmerzen es zuließen. Am

5 Heine (Anm. 1) Bd. 20. S. 97.
6 Ebd. S. 87. [Hervorhebung von mir. H. K.]
7 Ebd. S. 164.

25. Juni 1824 schrieb er an Moser: »Außerdem treibe ich viel Chronikenstudium und ganz besonders viel historia judaica. Letztere wegen Berührung mit dem Rabbi, und vielleicht auch wegen inneren Bedürfnisses. Ganz eigene Gefühle bewegen mich wenn ich jene traurige Analen durchblättre; eine Fülle der Belehrung und des Schmerzes. Der Geist der jüdischen Geschichte offenbart sich mir immer mehr und mehr, und diese geistige Rüstung wird mir gewiß in der Folge sehr zu statten kommen. An meinen Rabbi habe ich erst 1/3 geschrieben, meine Schmerzen haben mich auf schlimme Weise daran unterbrochen, und Gott weiß ob ich ihn bald und gut vollende. Bey dieser Gelegenheit merkte ich auch daß mir das Talent des Erzählens ganz fehlt; vielleicht thue ich mir auch Unrecht und es ist bloß die Sprödigkeit des Stoffes.«[8]

Heine tat sich schwer, kam nur langsam vorwärts. Daran änderte sich auch in den folgenden Monaten nichts. Am 25. Oktober 1824 machte er Moser erneut Mitteilung darüber, was er gearbeitet habe: »Am Rabbi wenig, so daß kaum 1/3 davon geschrieben ist.« Er war also noch auf demselben Stand. Sein innerer Drang, diesen Roman fertigzustellen, hatte jedoch eher zugenommen als nachgelassen. Weiter heißt es in diesem Brief: »Er wird aber sehr groß, wohl ein dicker Band, und mit unsäglicher Liebe trage ich das ganze Werk in der Brust. Ist es ja doch ganz aus der Liebe hervorgehend, nicht aus eitel Ruhmgier. Im Gegentheil wenn ich der Stimme der äußern Klugheit Gehör geben wollte so würde ich es gar nicht schreiben. Ich sehe voraus wie viel ich dadurch verschütte und feindseeliges herbeyrufe. Aber eben auch weil es aus der Liebe hervorgeht wird es ein unsterbliches Buch werden, eine ewige Lampe im Dome Gottes, kein verpraßlendes Theaterlicht. Ich habe viel Geschriebenes in diesem Buche wieder ausgelöscht, jetzt erst ist es mir gelungen das Ganze zu fassen [...].«[9]

Nennenswerte Fortschritte scheint er freilich trotz der end-

8 Ebd. S. 167 f.
9 Ebd. S. 176.

gültigen Klärung des Gesamtkonzepts nicht gemacht zu haben. Ein halbes Jahr lang ließ er nichts mehr über den *Rabbi* verlauten. Im März 1825 erwähnte er, daß das Opus »noch nicht zur Hälfte fertig«[10] sei, und einen Monat später gestand er Moser, daß es ihm nach wie vor »zentnerschwer auf der Seele« liege, doch gab er sich noch immer überzeugt, daß dieses »uneigennützigste Werk [...] auch das gediegenste«[11] werde. Indes liest man auch noch am 1. Juli in einem Brief an denselben Adressaten, die Arbeit schreite »nur langsam vorwärts, jede Zeile wird abgekämpft«. Das folgende Bekenntnis klingt schon beinahe ein wenig nach forcierter Selbstermutigung und hinhaltender Beruhigung des teilnehmenden Freundes: »doch drängts mich unverdrossen weiter indem ich das Bewußtseyn in mir trage daß nur Ich dieses Buch schreiben kann, und daß das Schreiben desselben eine nützliche, gottgefällige Handlung ist. [...] Ende dieses Jahrs denke ich den Rabbi fertig zu haben. Es wird ein Buch seyn das von den Zunzen aller Jahrhunderte als *Quelle* genannt werden wird.«[12]

Zur Vollendung kam es aber wieder nicht, und im Mai des folgenden Jahres hatte Heine sich dann offensichtlich mit dem Gedanken an eine fragmentarische Veröffentlichung abgefunden, indem er die Absicht äußerte, den *Rabbi* im 2. Teil der *Reisebilder* erscheinen zu lassen, »und zwar sehr beschnitten«.[13] Es blieb auch hier bei dem Vorsatz. Erst viereinhalb Jahre später, im August 1832, als Heine längst in Frankreich lebte, taucht in seiner Korrespondenz wieder einmal das liegengelassene Romanprojekt auf. Beiläufig merkte er an, daß er in den ersten Band des *Salon* »auch den Rabbi hineinschmeiße«.[14] Er wollte sich endlich einer Sache entledigen, an der ihm nichts mehr gelegen war. Moser gegenüber brauchte er sich ohnehin nicht mehr verpflichtet

10 Ebd. S. 187.
11 Ebd. S. 192.
12 Ebd. S. 203 f.
13 Ebd. S. 249.
14 Heine (Anm. 1) Bd. 21. S. 39.

zu fühlen, da die Freundschaft ein Jahr zuvor wegen Heines Auseinandersetzung mit Platen auseinandergegangen war.[15]

Tatsächlich veröffentlicht wurde *Der Rabbi von Bacherach* jedoch erst 1840 – als Fragment. Den äußeren Anlaß dazu gab eine Ritualmordaffäre in Damaskus, wo ein französischer Konsul einmal mehr das perfide Gerücht unter dem abergläubischen Volk verbreitet hatte, die Juden bräuchten an ihrem Passahfest Christenblut, um ihre Osterbrote hineinzutunken. Daraufhin war ein schlimmer Pogrom über die Damaszener Juden hereingebrochen. Wie ein großer Teil der Weltpresse, so protestierte auch Heine vehement gegen diesen Rückfall ins Mittelalter (s. S. 59–67). Dem Hamburger Verleger Julius Campe konnte er nun den *Rabbi* als »zeitgemäße Materialienzuthat«[16] für den vierten Band des *Salon* ankündigen.

So weit die aus den Briefen ablesbare *äußere* Entstehungsgeschichte, zu der freilich noch einige Erläuterungen nachzutragen sind. Heines Nachbemerkung zum Text: »Der Schluß und die folgenden Kapitel sind, ohne Verschulden des Autors, verlorengegangen« (s. S. 46), ist eine Fiktion, die den fragmentarischen Charakter dieser Publikation entschuldigen soll.[17] In ähnlichem Sinne ist eine briefliche Äußerung an Julius Campe zu verstehen: »Ich habe dieses mittelalterliche Sittengemälde vor etwa 15 Jahren geschrieben und was ich hier gebe ist nur die Exposition des Buches, das bey meiner Mutter verbrannt ist [. . .].«[18] Der Brand im Hause der Mutter Heines in Hamburg ereignete sich 1833. Möglicherweise sind dabei neben anderen Handschriften auch einige Exzerpte, Skizzen oder sonstige Vorarbeiten für den *Rabbi* vernichtet worden, von einem vollendeten Roman hatte Heine damals jedoch nie gesprochen. Wenn er

15 Vgl. ebd. S. 19.
16 Ebd. S. 359.
17 Vgl. Erich Loewenthal: Der Rabbi von Bacherach. In: Heine-Jahrbuch 3 (1964) S. 12.
18 Heine (Anm. 1) Bd. 21. S. 370.

schließlich dem Verleger mitteilte, er habe das Manuskript vor dem Druck nur »nothdürftigst«[19] ergänzt, so weist das bereits auf die Frage, in welchem Umfang und in welchem Sinne er 1840 das so lange beiseite gelegte Fragment bearbeitet hat, d. h. welcher Teil des *Rabbi* 1824/25 seine endgültige Gestalt erhalten hat und welcher erst 1840.

Das aber hängt eng zusammen mit der *inneren* Entstehungsgeschichte. Hier geht es in erster Linie um die Gründe, warum Heine Mitte der zwanziger Jahre die lange stagnierende Arbeit an dem mit so großem Elan begonnenen Romanprojekt abgebrochen hat. Mehrere Faktoren spielten eine Rolle. Zunächst änderte sich Heines Lebenssituation um 1825 entscheidend. Er beendete sein Studium mit der Promotion und bemühte sich um eine Advokatenstelle in Hamburg und später um eine Professur für Literatur an der Universität München. In beiden Fällen hatte er keinen Erfolg, obwohl er, um überhaupt eine Chance in der christlichen Gesellschaft zu haben, im Juni 1825 zum Protestantismus übergetreten war. Das war für ihn lediglich ein formaler Akt gewesen, aus opportunistischen Gründen vollzogen. Der Taufzettel sollte ihm, wie er in einem vielzitierten Aphorismus notierte, als »Entréebillett zur europäischen Kultur«[20] dienen. In religiöser Hinsicht stand er, wie bereits erwähnt, beiden Konfessionen gleichermaßen fern, sein Engagement für die Juden im Rahmen des Berliner »Kulturvereins« war sozial und humanitär motiviert. Dieser Verein hatte sich im übrigen im Frühjahr 1825 aufgelöst. Finanzielle Gründe und mangelnde Breitenwirkung waren ausschlaggebend gewesen, auch hatte der Präsident Eduard Gans den Weg der Konversion gewählt, um eine juristische Professur in Berlin zu erlangen (mit Erfolg). Das Scheitern des »Kulturvereins« war freilich für Heine nur äußerlich von Bedeutung, zumal er ja schon lange nicht mehr in Berlin selbst mitgearbeitet hatte.

19 Ebd. S. 368.
20 Heinrich Heine: Sämtliche Werke. Hrsg. von Hans Kaufmann. München 1964. Bd. 14. S. 122.

Aber in der zweiten Hälfte der zwanziger Jahre fand eine gravierende Verschiebung seiner Interessen statt. Mehr und mehr wurde die »Emanzipation der ganzen Welt«[21] zu seinem Anliegen, die Judenfrage sank auf einen partikularistischen Rang herab, war nur noch ein Aspekt unter vielen anderen, die im großen »Befreiungskriege der Menschheit«[22] einer Lösung zugeführt werden sollten. Wie seine politischen, so wurden auch seine religiösen Ansichten immer radikaler, er näherte sich einem mit pantheistischen Elementen durchsetzten Atheismus, proklamierte einen sinnenfrohen »Sensualismus« bzw. ein »Hellenentum« und verurteilte Judentum wie Christentum mit aller Schärfe als »Spiritualismus« bzw. »Nazarenertum«. Diese Phase seiner größten Judentumsferne dauerte bis über die Mitte der vierziger Jahre an. Ein Grund also für die Stagnation der Arbeit am *Rabbi von Bacherach* war Heines erlahmende Sympathie für die Juden. Nur wo sie aktuell verfolgt und unterdrückt wurden, solidarisierte er sich nach wie vor mit ihnen, wie das Beispiel der Damaszener Ritualmordaffäre zeigt.

Nachdem Heines Pläne, sich in bürgerlichen Berufen zu etablieren, fehlgeschlagen waren, und weil die finanzielle Unterstützung durch seinen Hamburger Onkel, den Bankier Salomon Heine, nicht ausreichte, mußte er versuchen, als freier Schriftsteller seinen Lebensunterhalt zu bestreiten. Das war nicht nur in materieller Hinsicht von Belang, sondern bedeutete zugleich, daß er sich freier fühlen konnte von allerlei Rücksichtnahmen und freier in der Wahl seiner literarischen Sujets. Es stellte sich sehr bald heraus, daß die stilistisch beweglichere und thematisch variablere, aktualitätsbezogene *Reisebilder*-Prosa weit mehr seinen Neigungen und Interessen und nicht zuletzt seiner politischen Zielsetzung entsprach als das episch breite Ausmalen des weitgefächerten Konzepts eines historischen Romans, das sein *Rabbi*-Projekt erforderte.

21 Ebd. Bd. 5. S. 230.
22 Ebd. S. 236.

Alle bei der Darstellung der äußeren und inneren Entstehungsgeschichte genannten Gründe für das mühevolle Vorankommen und den schließlichen Abbruch des *Rabbi* zusammengenommen, erlauben gleichwohl nicht, das Fragment in seiner vorliegenden Gestalt als mißlungen zu bezeichnen (wie beim überwiegenden Teil der Forschung bislang geschehen[23]). Zwar gingen Heine die *Reisebilder* schneller von der Hand und gewannen für ihn immer mehr an Priorität – doch darf man Neigung nicht mit Eignung gleichsetzen. Nicht das »Talent des Erzählens« fehlte Heine, es war »bloß die Sprödigkeit des Stoffes«. Dem überlieferten Text, wie Heine ihn fertiggestellt hat, merkt man die anfängliche Anstrengung, die er dem Autor abverlangt hat, nicht im geringsten an. Das erste (und längste) Kapitel ist ohne Zweifel in der Zeit um 1824/25 entstanden, vielleicht von minimalen Formulierungsänderungen abgesehen. Die Früchte der Quellen-Studien – außer zur Historia Judaica vor allem auch über die Geschichte der Stadt Frankfurt am Main und über die Gegend um den Schauplatz Bacharach – sind in völlig überzeugender Weise eingearbeitet in die fiktionale Exposition des beabsichtigten historischen Sittengemäldes vom Leben und Leiden der Juden im Mittelalter. Der am Vorbild der damals sehr populären Romane Walter Scotts orientierte Romananfang versetzt den Leser wirkungsvoll in eine vergangene Zeit und in eine eigentümliche Atmosphäre, wobei vom Erzähler auch der Bezug zum Hier und Jetzt behutsam wachgehalten wird. Stimmungsvoll und treffend sind – zumeist aus der Perspektive Saras – das jüdische Gemeindeleben, die (gestörte) Seder-Feier und die Flucht auf dem Rhein geschildert. Der Stil ist dem dargestellten Gegenstand und der Intention des Autors angemessen. Von welcher Intention Heine in der Planungs- und

23 Vgl. Hartmut Kircher: Heinrich Heine: Der Rabbi von Bacherach (1840). In: Paul Michael Lützeler: Romane und Erzählungen zwischen Romantik und Realismus. Neue Interpretationen. Stuttgart 1983. S. 295–313.

ersten Schaffensphase durchdrungen war, das geht aus zwei
Gedichten hervor, die er im Zusammenhang mit dem *Rabbi*
niederschrieb und am 25. Oktober 1824 an seinen Berliner
Vereinsfreund Moser sandte. Das erste ist an die Feinde der
Juden gerichtet:

(An Edom!)

Ein Jahrtausend schon und länger,
Dulden wir uns brüderlich,
Du, du duldest daß ich athme,
Daß du rasest dulde Ich.

Manchmal nur, in dunkeln Zeiten,
Ward dir wunderlich zu Muth,
Und die liebefrommen Tätzchen
Färbtest du mit meinem Blut!

Jetzt wird unsre Freundschaft fester,
Und noch täglich nimmt sie zu;
Denn ich selbst begann zu rasen,
Und ich werde fast wie Du.[24]

Die Christenheit wird mit aggressiver Ironie angeklagt, in
einem Ton, der gelegentlich auch im ersten Kapitel hörbar
ist. Die Unterdrückung soll nicht länger ohne Gegenwehr
hingenommen werden. Doch das zweite Gedicht fügt dem
noch einen anderen Aspekt hinzu:

Brich aus in lauten Klagen,
Du düstres Martyrerlied,
Das ich so lang getragen
Im flammenstillen Gemüth'.

Es dringt in alle Ohren,
Und durch die Ohren in's Herz;
Ich habe gewaltig beschworen
Den tausendjährigen Schmerz.

24 Heine (Anm. 1) Bd. 20. S. 177.

Es weinen die Großen und Kleinen,
Sogar die kalten Herr'n,
Die Frauen und Blumen weinen,
Es weinen am Himmel die Stern'.

Und alle Thränen fließen
Nach Süden, im stillen Verein,
Sie fließen und ergießen
Sich all' in den Jordan hinein.[25]

Anklage und Klage prägen also den Beginn des Romans, der nicht nur für ein jüdisches, sondern ebenso für ein christliches Lesepublikum gedacht war. Das Beschwören des ›tausendjährigen Schmerzes‹ sollte freilich nicht auf eine unversöhnliche Verhärtung der gegensätzlichen Standpunkte hinwirken, vielmehr kam es Heine, ganz im Geiste des Berliner Kulturvereins, auch auf eine Annäherung zwischen den beiden Seiten an. In diesem Sinne könnte man beispielsweise die Verschmelzung romantischer und jüdischer Motive in Saras Traum während der nächtlichen Kahnfahrt interpretieren: »Es war auch, als murmelte der Rhein die Melodien der Agade [. . .].« (S. 16.)
Wiederum treffend eingefangen ist die Atmosphäre des bunten Messetreibens in der Großstadt Frankfurt am Anfang des zweiten Kapitels. Hier hat sich Heine ebenfalls auf Quellenexzerpte aus der ersten Schaffensphase sowie auf eigene Anschauung – 1815 und 1827 hatte er Frankfurt und das dortige Ghetto besucht – gestützt und sie zu einem sehr anschaulichen Panorama zusammengefügt. Daß die historischen Daten im *Rabbi* nie ganz exakt sind, ist sekundär, es handelt sich ja um einen fiktionalen Text und nicht um eine zur Detailgenauigkeit verpflichtete Geschichtschronik. (Entsprechendes gilt übrigens auch für verschiedene Einzelheiten des jüdischen Lebens und Zeremoniells.) Neu im zweiten Kapitel aber ist die veränderte Tonlage des Erzählers, die sich nicht allein mit dem Anbruch eines neuen Tags

25 Ebd. S. 178.

und dem Schauplatzwechsel erklären läßt. Der Rabbi lächelt
heiter, obwohl seine Bacheracher Verwandtschaft höchst-
wahrscheinlich in der vorangegangenen Nacht umgebracht
worden ist, und auch Sara kann den Gedanken daran leicht
verdrängen angesichts der farbigen Kleiderpracht auf den
Marktständen. Über die schmachvolle Geschichte von den
fünftausend Rattenschwänzen, die die Frankfurter Juden
jährlich abzuliefern haben, muß sie laut lachen. Der veränderte Tenor mit nur noch geringen Anklängen an das
›düstere Märtyrerlied‹ legt die Vermutung nahe, daß Heine
dem zweiten Kapitel erst in seiner zweiten Schaffensphase
um 1840 die endgültige Gestalt gegeben hat. Die frühere
Forschung hatte stets angenommen, Heine habe lediglich
das dritte Kapitel erst kurz vor der Drucklegung ›ange-
hängt‹. Franz Finke hat jedoch im *Heine-Jahrbuch 1965*
überzeugend dargelegt, daß eine Untersuchung der (im Düs-
seldorfer Heine-Archiv und in der Pariser Bibliothèque
Nationale befindlichen) Handschriften gegen diese An-
nahme spricht.[26] Auch eine detaillierte Interpretation ver-
mag zu zeigen, daß Heines gewandeltes Verhältnis zum
Judentum, seine kritische Distanz, bereits das zweite Kapitel
wesentlich geprägt hat.[27]
Dies gilt insbesondere für die Szene am Ghetto-Tor, in der
Juden und Christen gleichermaßen mit Spott bedacht werden. Auch weitere Indizien weisen in dieselbe Richtung, so
zum Beispiel die Tatsache, daß die Figur des Nasenstern
außer im *Rabbi* in zwei anderen um 1840 entstandenen
Schriften Heines auftaucht, nämlich in der Denkschrift *Ludwig Börne* und in einem *Lutetia*-Artikel.[28]
Daß der veränderte Ton wiederum keineswegs eine Beein-
trächtigung der literarischen Qualität bedeutet, das zeigt
nicht zuletzt auch die vielschichtige Gestaltung dieses

26 Vgl. Franz Finke: Zur Datierung des »Rabbi von Bacherach«. In: Heine-
   Jahrbuch 4 (1965) S. 26–32.
27 Vgl. dazu Hartmut Kircher: Heinrich Heine und das Judentum. Bonn
   1973. Bes. S. 231–260. Auch: Kircher (Anm. 23).
28 Vgl. Heine (Anm. 20) Bd. 11. S. 63 f., 261.

Nasenstern in der Szene am Ghetto-Tor. Heine legt ihm eine Reihe sehr wirkungsvoller Witze in den Mund, die zunächst den Sprecher selbst als lächerlich erscheinen lassen, zugleich aber pointiert auf den ernsthafteren Hintergrund der Situation der Juden in der christlichen Umwelt verweisen und schließlich auch die unter anderem mit seiner jüdischen Herkunft zusammenhängende Fähigkeit Heines offenbaren, solche Witze überhaupt zu erfinden.[29]

Ironie und Selbstironie bestimmen weitgehend die Schilderung des Lebens in der Synagoge und in der Judengasse. Bedeutende Ausnahmen stellen allerdings die Beschreibung der spezifischen Ghetto-Architektur und des religiösen Zeremoniells beim Psalm-Vortrag dar. Sara, aus deren Perspektive auch hier größtenteils erzählt wird, fällt sogar für kurze Zeit in Ohnmacht, als sie ihren Mann das Totengebet für die Bacheracher Gemeinde sprechen hört. Doch erwartet der Rabbi sie gleich darauf schon wieder »mit heiterem Antlitz« (S. 39), als ob nichts geschehen sei. Jedenfalls kann und soll kein tragischer Akzent mehr die Atmosphäre ›verdüstern‹. Die jetzt dominierende Ironie ist indessen nicht mehr engagiert aggressiv wie die im ersten Kapitel, sondern sie betont die kritische Distanz des Autors. Das geschieht durchaus nicht ganz ohne Anteilnahme, wie etwa bei der fast liebevollen Karikierung der diversen Originale auf der Weibergalerie der Synagoge erkennbar. Selbst brisante Themen wie die Abtrünnigkeit vom jüdischen Glauben, die in der Unterhaltung mit dem »spanischen Ritter« zur Sprache kommen, durchbrechen nicht mehr die heitere Ironie. Die Diskussion wird einfach in eine lukullische Richtung umgelenkt. Und Don Isaak Abarbanel ist im übrigen auch seinerseits liebevoll ironisch porträtiert.

Diese Figur ist eine Anlehnung an eine historische Persönlichkeit, über die Heine 1824/25 Nachforschungen betrieben

---

29 Vgl. dazu Hartmut Kircher: »Wie schlecht geschützt ist Israel...«. Zur Szene am Frankfurter Ghetto-Tor in Heines »Rabbi von Bacherach«. In: Heine-Jahrbuch 11 (1972) S. 38–55.

hatte,[30] die aber in dem Fragment-Konzept von 1840 keine gewichtige Rolle mehr spielen. Im Oktober 1825 hatte Heine an Moser ein längeres Gedicht, die *Almansor*-Trilogie, gesandt, um ihn dadurch halb verschlüsselt über seine vier Monate zurückliegende Taufe zu informieren. In dem Gedicht, das als Einlage für den *Rabbi* vorgesehen war, tritt Almansor um seiner Geliebten willen zum Christentum über, bereut aber später diesen Schritt.[31] In Heines Begleitschreiben an den Berliner Freund hieß es damals: »Ein junger Spanischer Jude, von Herzen ein Jude, der sich aus Luxusübermuth taufen läßt, korrespondirt mit dem jungen Jehude Abarbanell, und schickt ihm jenes Gedicht, aus dem Maurischen übersetzt. Vielleicht scheut er es doch eine nicht sehr noble Handlung dem Freunde unumwunden zu schreiben, aber er schickt ihm jenes Gedicht. – Denk nicht darüber nach. – – –.«[32]

Der ziemlich unvermittelte Abbruch der Geschichte reizte einige Autoren zur Fortsetzung. So hat der Tragödienautor Karl Weiser 1894 anonym eine dramatische Bearbeitung und Weiterführung des Heineschen *Rabbi*-Stoffs publiziert und aufführen lassen. Weiser übernahm zwar einige Motive, hauptsächlich den Ritualmordvorwurf, sowie Ort und Zeit der Handlung, entfernte sich ansonsten aber weit von Heines Version.[33] Gleichermaßen künstlerisch unerheblich ist eine 1913 erschienene Prosa-Fortsetzung von Max Viola. (Darin wird der Rabbi Abraham in Frankfurt gefangengenommen und nach Bacherach zurückgeführt. Unterdessen wendet sich die schöne Sara um Hilfe an Don Isaak Abarbanel und durch dessen Vermittlung an den Kaiserlichen Leibarzt Azael. Dieser steht bei Maximilian hoch in der Gunst, weil er dessen Liebling, den protestantischen Magister Wiebel gerettet hatte, nachdem ihm zwei vorgebliche protestan-

---

30 Vgl. Ludwig Rosenthal: Heinrich Heine als Jude. Berlin 1973. S. 178 ff. und S. 212 ff.
31 Vgl. Heine (Anm. 20) Bd. 1. S. 150 ff.
32 Heine (Anm. 1) Bd. 20. S. 215.
33 Vgl. Karl Weiser: Rabbi David. Schauspiel in 5 Aufzügen. Leipzig 1894.

tische Scholaren ein vergiftetes Buch gebracht hatten. Diese Scholaren sind in Wirklichkeit Papisten, und Sara kann sie obendrein als die beiden Vermummten identifizieren, die in Bacherach das tote Kind in das Haus des Rabbi geschmuggelt hatten. Durch kaiserlichen Spruch kommt daraufhin der Rabbi sofort wieder frei, und Sara reist in Begleitung Don Isaaks ebenfalls nach Hause. Den einzigen Lohn, den der spanische Ritter von ihr erbittet, nämlich einen Kuß, verweigert sie ihm, weil sie ein frommes jüdisches Weib ist.)[34]

Solche mehr oder weniger dilettantischen Fortsetzungsversuche sind allenfalls geeignet, den Leser bedauern zu lassen, daß Heine nicht selbst den Roman vollendet hat. Für eine Erschließung seiner mutmaßlichen Absichten gibt der Text nur wenige Anhaltspunkte. So könnte vielleicht der nach der unerlaubten Heirat von Saras Vater ausgestoßene Fluch »Sieben Jahr sollt ihr betteln gehn!« (S. 16) auf die Dauer des Umherirrens der beiden Bacheracher Flüchtlinge hindeuten. Frankfurt wäre die erste Station gewesen, weitere wären mit hoher Wahrscheinlichkeit mehrere spanische Städte gewesen, vor allem Toledo und Granada, über deren Geschichte sich Heine in der Tat sehr eingehend informiert hat.[35] Toledo wird im ersten Kapitel genannt als der Ort, wo Abraham »auf der hohen Schule [...] das Studium der göttlichen Gesetze getrieben« (S. 6). Aus der Tatsache, daß der Rabbi vor seiner Abreise nach Spanien bei der überrumpelnden Eheschließung seiner Frau eine siebenjährige Wartezeit angekündigt hat, ließe sich die Hypothese ableiten, daß möglicherweise diese Zeitspanne im Rückblick ebenfalls geschildert worden wäre, etwa anläßlich der Wiederbegegnung mit dem ehemaligen Studienfreund Don Isaak. In diesem Falle hätte das Erzählgerüst aus zwei großen, jeweils sieben Jahre umspannenden Bögen bestanden. Was Granada betrifft, so war für Heine primär die Eroberung durch die

34 Vgl. Heinrich Heine: Der Rabbi von Bacherach. Fortgesetzt und vollendet von Max Viola. Berlin 1913.
35 Vgl. Heine (Anm. 1) Bd. 20. S. 168, 204.

Christen im Jahre 1492 von Interesse. Da dieses Datum den Höhepunkt der großen Judenvertreibung in Spanien markiert und Heine den Bacheracher Pogrom um 1487 spielen läßt, hätten die Judenverfolgungen in Granada innerhalb der siebenjährigen Fluchtzeit Abrahams und Saras stattgefunden und somit im weiteren Handlungsverlauf des Romans wohl eine Rolle gespielt. In einem Schreiben an Moses Moser findet sich im Zusammenhang mit den spanischen Juden eine Bemerkung Heines, in der eventuell ein Hinweis auf den geplanten Schluß gesehen werden kann: »Interessant ist es daß dasselbe Jahr wo sie vertrieben worden, das neue Land der Glaubensfreyheit, nemlich Amerika entdeckt worden.«[36] Es ist nicht ausgeschlossen, daß Heine den Roman nach der Flucht des Rabbi und seiner Frau mit einem Ausblick auf den neuen Kontinent enden lassen wollte, zumal er nach dem Zeugnis eines seiner Schüler im Berliner »Verein für Kultur und Wissenschaft der Juden« gelegentlich von dieser Lösung des Antisemitismusproblems gesprochen hat.[37] Als ein weiteres Indiz dafür könnten die Worte des Rabbi beim Verlassen Bacherachs angesehen werden: »Komm mit mir, schöne Sara, nach einem anderen Lande, wir wollen das Unglück hinter uns lassen [...].« (S. 13.)

Doch solche Mutmaßungen müssen im Bereich der Spekulation bleiben und sind für die Interpretation des vorliegenden Textes kaum relevant. Auch in seiner fragmentarischen Gestalt ist der *Rabbi von Bacherach* ein beachtliches Beispiel der Erzählkunst Heines. Zudem ist er, wie gesagt, ein sehr aufschlußreiches Dokument für Heines sich wandelndes Verhältnis zum Judentum. Der erste, um 1824/25 entstandene Teil spiegelt seine von antichristlichem Trotz bestimmte, engagierteste Phase wider, der zweite, um 1840 geschriebene Teil läßt den Abstand erkennen, den der Autor ganz bewußt zum Judentum hält. Aber auch in diesen Passagen bleibt der *Rabbi* ein bedeutendes Stück seiner

36 Ebd. S. 168.
37 Vgl. Begegnungen mit Heine. Berichte der Zeitgenossen. Hrsg. von Michael Werner. Bd. 1: 1797–1846. Hamburg 1973. S. 68.

»Confessio Judaica«. Im Alter vollzog Heine eine erneute, wenn auch betont überkonfessionelle Hinwendung zum Judentum (und zum Glauben an einen persönlichen Gott). Die eindrucksvollsten dichterischen Zeugnisse dieser letzten Phase sind die *Hebräischen Melodien*.

Inhalt